한국어(idioma coreano)

동사(verbo) 290

형용사(adjetivo) 137

español(스페인어)
edición traducida(번역판)

< 저자(autor) >

㈜한글2119연구소

- 연구개발전담부서
- ISO 9001 : 품질경영시스템 인증
- ISO 14001 : 환경경영시스템 인증
- 이메일(correo electrónico) : gjh0675@naver.com

< 동영상(vídeo) 자료(documento) >

HANPUK_español(traducción)
https://www.youtube.com/@HANPUK_Spanish

HANPUK

제 2024153361 호

연구개발전담부서 인정서

1. 전담부서명: 연구개발전담부서

[소속기업명: (주)한글2119연구소]

2. 소 재 지: 인천광역시 부평구 마장로264번길 33
상가동 제지하층 제2호 (산곡동, 뉴서울아파트)

3. 신고 연월일: 2024년 05월 02일

과학기술정보통신부

「기초연구진흥 및 기술개발지원에 관한 법률」 제14조의 2제1항 및 같은 법 시행령 제27조제1항에 따라 위와 같이 기업의 연구개발전담부서로 인정합니다.

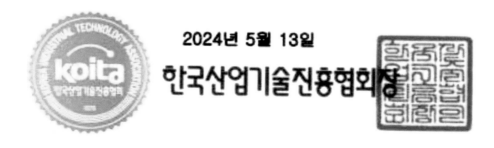

2024년 5월 13일

한국산업기술진흥협회장

G-CERTI *Certificate*

hereby certifies that

Hangul 2119 Research Institute Co., Ltd.

Rm. 2, Lower level, Sangga-dong, 33, Majang-ro 264beon-gil, Bupyeong-gu, Incheon, Korea

meets the Standard Requirements & Scope as following

ISO 9001:2015
Quality Management Systems

Creation of Media Content, Publication of Korean Paper and Electronic Textbooks, Production and Release of Albums for Korean Language Education

Certificate No: GIS-6934-QC	**Code : 08, 39**
Initial Date : 2024-05-21	**Issue Date : 2024-05-21**
Expiry Date : 2027-05-20	**Valid Period : 2024-05-21 ~ 2027-05-20**

Signed for and on behalf of GCERTI
President I.K Cho

G-CERTi SYSTEM SERVICE MSCB-113

IAS ACCREDITED Management Systems Certification Body MSCB-113

G-CERTI *certificate*

hereby certifies that

Hangul 2119 Research Institute Co., Ltd.

Rm. 2, Lower level, Sangga-dong, 33, Majang-ro 264beon-gil,
Bupyeong-gu, Incheon, Korea

meets the Standard Requirements & Scope as following

ISO 14001:2015
Environmental Management Systems

Creation of Media Content, Publication
of Korean Paper and Electronic Textbooks, Production and
Release of Albums for Korean Language Education

Certificate No:	GIS-6934-EC	Code	: 08, 39
Initial Date	: 2024-05-21	Issue Date	: 2024-05-21
Expiry Date	: 2027-05-20	Valid Period	: 2024-05-21 ~ 2027-05-20

Signed for and on behalf of GCERTI
President I.K.Cho

G-CERTi SYSTEM SERVICE MSCB-113

IAS ACCREDITED Management Systems Certification Body MSCB-113

< 목차(índice) >

한국어(idioma coreano)

동사(verbo) 290

(1) 들리다 [deullida]

oírse

Percibirse los sonidos a través del oído.

pasado : 들리 + 었어요 → 들렸어요
presente : 들리 + 어요 → 들려요
futuro : 들리 + ㄹ 거예요 → 들릴 거예요

(2) 메다 [meda]

cargar

Llevar algo al hombro o la espalda.

pasado : 메 + 었어요 → 멨어요
presente : 메 + 어요 → 메요
futuro : 메 + ㄹ 거예요 → 멜 거예요

(3) 보이다 [boida]

verse, mirarse

Percibir por los ojos la existencia o la apariencia de un objeto.

pasado : 보이 + 었어요 → 보였어요
presente : 보이 + 어요 → 보여요
futuro : 보이 + ㄹ 거예요 → 보일 거예요

(4) 귀여워하다 [gwiyeowohada]

mimar, querer, sentir cariño, amar

Tratar con cariño y amor a alguien menor o a algún animal.

pasado : 귀여워하 + 였어요 → 귀여워했어요
presente : 귀여워하 + 여요 → 귀여워해요
futuro : 귀여워하 + ㄹ 거예요 → 귀여워할 거예요

(5) 기뻐하다 [gippeohada]

alegrarse, deleitarse, complacerse, regocijarse

Sentir alegría y gozo.

pasado : 기뻐하 + 였어요 → 기뻐했어요
presente : 기뻐하 + 여요 → 기뻐해요
futuro : 기뻐하 + ㄹ 거예요 → 기뻐할 거예요

(6) 놀라다 [nollada]

asustar, sorprender, atemorizar, aterrar, espantar

Latir el corazón o ponerse tenso repentinamente por temor y un hecho inesperado.

pasado : 놀라 + 았어요 → 놀랐어요
presente : 놀라 + 아요 → 놀라요
futuro : 놀라 + ㄹ 거예요 → 놀랄 거예요

(7) 느끼다 [neukkida]

sentir, percibir

Percibir cierto estímulo a través de los órganos sensoriales tales como la nariz, la piel, etc.

pasado : 느끼 + 었어요 → 느꼈어요
presente : 느끼 + 어요 → 느껴요
futuro : 느끼 + ㄹ 거예요 → 느낄 거예요

(8) 슬퍼하다 [seulpeohada]

entristecerse, apenarse, angustiarse, afligirse

Dolerle o afligirle como para soltar lágrimas.

pasado : 슬퍼하 + 였어요 → 슬퍼했어요
presente : 슬퍼하 + 여요 → 슬퍼해요
futuro : 슬퍼하 + ㄹ 거예요 → 슬퍼할 거예요

(9) 싫어하다 [sireohada]

no querer, detestar, odiar, abominar, reprobar

Que encuentra algo desagradable o fastidioso.

pasado : 싫어하 + 였어요 → 싫어했어요
presente : 싫어하 + 여요 → 싫어해요
futuro : 싫어하 + ㄹ 거예요 → 싫어할 거예요

(10) 안되다 [andoeda]

malfuncionar, salir mal

No funcionar debidamente un trabajo o un fenómeno.

pasado : 안되 + 었어요 → 안됐어요
presente : 안되 + 어요 → 안돼요
futuro : 안되 + ㄹ 거예요 → 안될 거예요

(11) 좋아하다 [joahada]

gustar, preferir, querer

Tener un buen presentimiento sobre algo.

pasado : 좋아하 + 였어요 → 좋아했어요
presente : 좋아하 + 여요 → 좋아해요
futuro : 좋아하 + ㄹ 거예요 → 좋아할 거예요

(12) 즐거워하다 [jeulgeowohada]

alegrarse

Sentir placer y felicidad.

pasado : 즐거워하 + 였어요 → 즐거워했어요
presente : 즐거워하 + 여요 → 즐거워해요
futuro : 즐거워하 + ㄹ 거예요 → 즐거워할 거예요

(13) 화나다 [hwanada]

enfadarse, enfurecerse

Sentirse mal al estar muy molesto o triste.

pasado : 화나 + 았어요 → 화났어요
presente : 화나 + 아요 → 화나요
futuro : 화나 + ㄹ 거예요 → 화날 거예요

(14) 화내다 [hwanaeda]

enojarse con

Mostrar su enojo hacia alguien que le molesta.

pasado : 화내 + 었어요 → 화냈어요
presente : 화내 + 어요 → 화내요
futuro : 화내 + ㄹ 거예요 → 화낼 거예요

(15) 자랑하다 [jaranghada]

vanagloriarse, enorgullecerse

Decir o presumir que su persona o alguien o algo relacionado consigo es digno de ser admirado por otras personas.

pasado : 자랑하 + 였어요 → 자랑했어요
presente : 자랑하 + 여요 → 자랑해요
futuro : 자랑하 + ㄹ 거예요 → 자랑할 거예요

(16) 조심하다 [josimhada]

cuidarse, tener precaución, tener cautela

Tener una actitud cuidadosa en la manera de hablar o actuar para no cometer errores o equivocaciones.

pasado : 조심하 + 였어요 → 조심했어요
presente : 조심하 + 여요 → 조심해요
futuro : 조심하 + ㄹ 거예요 → 조심할 거예요

(17) 늙다 [neukda]

envejecer, aviejarse

Hacerse viejo o tener muchos años.

pasado : 늙 + 었어요 → 늙었어요
presente : 늙 + 어요 → 늙어요
futuro : 늙 + 을 거예요 → 늙을 거예요

(18) 못생기다 [motsaenggida]

feo, antiestético

De una apariencia que no llega al promedio.

pasado : 못생기 + 었어요 → 못생겼어요
presente : 못생기 + 어요 → 못생겨요
futuro : 못생기 + ㄹ 거예요 → 못생길 거예요

(19) 빼다 [ppaeda]

adelgazar

Disminuir en grosor o peso del cuerpo.

pasado : 빼 + 었어요 → 뺐어요
presente : 빼 + 어요 → 빼요
futuro : 빼 + ㄹ 거예요 → 뺄 거예요

(20) 잘생기다 [jalsaenggida]

guapo, apuesto

Que tiene unas facciones destacables y llamativas.

pasado : 잘생기 + 었어요 → 잘생겼어요
presente : 잘생기 + 어요 → 잘생겨요
futuro : 잘생기 + ㄹ 거예요 → 잘생길 거예요

(21) 찌다 [jjida]

engordar, subir de peso

Tener el cuerpo gordo al subir de peso.

pasado : 찌 + 었어요 → 쪘어요
presente : 찌 + 어요 → 쪄요
futuro : 찌 + ㄹ 거예요 → 찔 거예요

(22) 못하다 [motada]

ser incapaz

Faltarle a alguien talento o capacidad para hacer o mejorar una cosa.

pasado : 못하 + 였어요 → 못했어요
presente : 못하 + 여요 → 못해요
futuro : 못하 + ㄹ 거예요 → 못할 거예요

(23) 잘못하다 [jalmotada]

errar

Equivocarse o hacer algo incorrectamente.

pasado : 잘못하 + 였어요 → 잘못했어요
presente : 잘못하 + 여요 → 잘못해요
futuro : 잘못하 + ㄹ 거예요 → 잘못할 거예요

(24) 잘하다 [jalhada]

hacer bien

Hacer hábilmente e ingeniosamente.

pasado : 잘하 + 였어요 → 잘했어요
presente : 잘하 + 여요 → 잘해요
futuro : 잘하 + ㄹ 거예요 → 잘할 거예요

(25) 가다 [gada]

Ir

Trasladarse de un lugar a otro.

pasado : 가 + 았어요 → 갔어요
presente : 가 + 아요 → 가요
futuro : 가 + ㄹ 거예요 → 갈 거예요

(26) 가리키다 [garikida]

señalar

Usar el dedo para mostrar a alguien una persona o cosa para que la reconozca.

pasado : 가리키 + 었어요 → 가리켰어요
presente : 가리키 + 어요 → 가리켜요
futuro : 가리키 + ㄹ 거예요 → 가리킬 거예요

(27) 감다 [gamda]

lavarse

Limpiar el pelo o todo el cuerpo con agua.

pasado : 감 + 았어요 → 감았어요
presente : 감 + 아요 → 감아요
futuro : 감 + 을 거예요 → 감을 거예요

(28) 걷다 [geotda]

andar

Despegar intercaladamente un pie y luego otro del suelo.

pasado : 걷 + 었어요 → 걸었어요
presente : 걷 + 어요 → 걸어요
futuro : 걷 + 을 거예요 → 걸을 거예요

(29) 걸어가다 [georeogada]

andar

Avanzar hacia un destino moviendo las piernas.

pasado : 걸어가 + 았어요 → 걸어갔어요
presente : 걸어가 + 아요 → 걸어가요
futuro : 걸어가 + ㄹ 거예요 → 걸어갈 거예요

(30) 걸어오다 [georeooda]

regresar caminando

Regresar andando desde algún lugar.

pasado : 걸어오 + 았어요 → 걸어왔어요
presente : 걸어오 + 아요 → 걸어와요
futuro : 걸어오 + ㄹ 거예요 → 걸어올 거예요

(31) 꺼내다 [kkeonaeda]

sacar, extraer, vaciar, retirar

Poner afuera algo que estaba dentro.

pasado : 꺼내 + 었어요 → 꺼냈어요
presente : 꺼내 + 어요 → 꺼내요
futuro : 꺼내 + ㄹ 거예요 → 꺼낼 거예요

(32) 나오다 [naoda]

salir, partir, marchar, ausentarse

Pasar de dentro a fuera.

pasado : 나오 + 았어요 → 나왔어요
presente : 나오 + 아요 → 나와요
futuro : 나오 + ㄹ 거예요 → 나올 거예요

(33) 내려가다 [naeryeogada]

bajarse, descenderse

Ir de arriba abajo.

pasado : 내려가 + 았어요 → 내려갔어요
presente : 내려가 + 아요 → 내려가요
futuro : 내려가 + ㄹ 거예요 → 내려갈 거예요

(34) 내려오다 [naeryeooda]

bajarse, descenderse

Moverse de la parte superior a la inferior o de arriba hacia abajo.

pasado : 내려오 + 았어요 → 내려왔어요
presente : 내려오 + 아요 → 내려와요
futuro : 내려오 + ㄹ 거예요 → 내려올 거예요

(35) 넘어지다 [neomeojida]

ladear, desnivelar

Inclinar, torcer o desequilibrar lo que originalmente estaba firme.

pasado : 넘어지 + 었어요 → 넘어졌어요
presente : 넘어지 + 어요 → 넘어져요
futuro : 넘어지 + ㄹ 거예요 → 넘어질 거예요

(36) 넣다 [neota]

meter, insertar, introducir

Hacer que algo entre en un espacio.

pasado : 넣 + 었어요 → 넣었어요
presente : 넣 + 어요 → 넣어요
futuro : 넣 + 을 거예요 → 넣을 거예요

(37) 놓다 [nota]

dejar, soltar, aflojar, abandonar

Dejar escapar un objeto que se sostenía o se presionaba con la mano.

pasado : 놓 + 았어요 → 놓았어요
presente : 놓 + 아요 → 놓아요
futuro : 놓 + 을 거예요 → 놓을 거예요

(38) 누르다 [nureuda]

presionar, apretar, empujar

Hacer fuerza ejerciendo presión sobre una parte o la totalidad de un objeto.

pasado : 누르 + 었어요 → 눌렀어요
presente : 누르 + 어요 → 눌러요
futuro : 누르 + ㄹ 거예요 → 누를 거예요

(39) 달리다 [dallida]

trotar

Ir o venir corriendo y con prisa.

pasado : 달리 + 었어요 → 달렸어요
presente : 달리 + 어요 → 달려요
futuro : 달리 + ㄹ 거예요 → 달릴 거예요

(40) 던지다 [deonjida]

tirar

Arrojar algo con la mano en una determinada dirección.

pasado : 던지 + 었어요 → 던졌어요
presente : 던지 + 어요 → 던져요
futuro : 던지 + ㄹ 거예요 → 던질 거예요

(41) 돌리다 [dollida]

hacer girar

Hacer que algo dé vueltas alrededor de un eje.

pasado : 돌리 + 었어요 → 돌렸어요
presente : 돌리 + 어요 → 돌려요
futuro : 돌리 + ㄹ 거예요 → 돌릴 거예요

(42) 듣다 [deutda]

oír

Percibir los sonidos a través del oído.

pasado : 듣 + 었어요 → 들었어요
presente : 듣 + 어요 → 들어요
futuro : 듣 + 을 거예요 → 들을 거예요

(43) 들어가다 [deureogada]

entrar

Pasar de fuera hacia adentro.

pasado : 들어가 + 았어요 → 들어갔어요
presente : 들어가 + 아요 → 들어가요
futuro : 들어가 + ㄹ 거예요 → 들어갈 거예요

(44) 들어오다 [deureooda]

entrar

Pasar de fuera adentro

pasado : 들어오 + 았어요 → 들어왔어요
presente : 들어오 + 아요 → 들어와요
futuro : 들어오 + ㄹ 거예요 → 들어올 거예요

(45) 뛰다 [ttwida]

correr

Andar rápidamente en avanzada.

pasado : 뛰 + 었어요 → 뛰었어요
presente : 뛰 + 어요 → 뛰어요
futuro : 뛰 + ㄹ 거예요 → 뛸 거예요

(46) 뛰어가다 [ttwieogada]

dirigirse deprisa

Ir con celeridad hacia un lugar.

pasado : 뛰어가 + 았어요 → 뛰어갔어요
presente : 뛰어가 + 아요 → 뛰어가요
futuro : 뛰어가 + ㄹ 거예요 → 뛰어갈 거예요

(47) 뜨다 [tteuda]

abrir los ojos

Dejar en descubierto los ojos.

pasado : 뜨 + 었어요 → 떴어요
presente : 뜨 + 어요 → 떠요
futuro : 뜨 + ㄹ 거예요 → 뜰 거예요

(48) 만지다 [manjida]

tocar

Entrar en contacto las manos con un objeto y deslizarlas él.

pasado : 만지 + 었어요 → 만졌어요
presente : 만지 + 어요 → 만져요
futuro : 만지 + ㄹ 거예요 → 만질 거예요

(49) 미끄러지다 [mikkeureojida]

deslizarse, resbalarse, escurrirse

Resbalarse o caerse en un lugar resbaladizo.

pasado : 미끄러지 + 었어요 → 미끄러졌어요
presente : 미끄러지 + 어요 → 미끄러져요
futuro : 미끄러지 + ㄹ 거예요 → 미끄러질 거예요

(50) 밀다 [milda]

empujar, impulsar, impeler, arrojar, echar, lanzar, tirar

Hacer fuerza contra algo desde su dirección contraria para moverlo.

pasado : 밀 + 었어요 → 밀었어요
presente : 밀 + 어요 → 밀어요
futuro : 밀 + ㄹ 거예요 → 밀 거예요

(51) 바라보다 [baraboda]

mirar, ver

Dirigir la vista rectamente.

pasado : 바라보 + 았어요 → 바라봤어요
presente : 바라보 + 아요 → 바라봐요
futuro : 바라보 + ㄹ 거예요 → 바라볼 거예요

(52) 보다 [boda]

ver, mirar, observar

Percibir por los ojos la existencia o la apariencia de un objeto.

pasado : 보 + 았어요 → 봤어요
presente : 보 + 아요 → 봐요
futuro : 보 + ㄹ 거예요 → 볼 거예요

(53) 서다 [seoda]

levantar

Poner derecho o en posición vertical el cuerpo de una persona o un animal.

pasado : 서 + 었어요 → 섰어요
presente : 서 + 어요 → 서요
futuro : 서 + ㄹ 거예요 → 설 거예요

(54) 쉬다 [swida]

reposar, dormir, relajarse, echarse

Hacer descansar el cuerpo para eliminar la fatiga.

pasado : 쉬 + 었어요 → 쉬었어요
presente : 쉬 + 어요 → 쉬어요
futuro : 쉬 + ㄹ 거예요 → 쉴 거예요

(55) 안다 [anda]

abrazar, ceñir

Tirar algo hacia el pecho estrechando los brazos o tener algo entre los brazos.

pasado : 안 + 았어요 → 안았어요
presente : 안 + 아요 → 안아요
futuro : 안 + 을 거예요 → 안을 거예요

(56) 앉다 [anda]

sentar

Apoyar el cuerpo en el piso o en otro objeto poniendo el peso del cuerpo en las nalgas con el torso recto.

pasado : 앉 + 았어요 → 앉았어요
presente : 앉 + 아요 → 앉아요
futuro : 앉 + 을 거예요 → 앉을 거예요

(57) 오다 [oda]

venir, llegar

Trasladarse de otro lugar a donde está la persona que habla.

pasado : 오 + 았어요 → 왔어요
presente : 오 + 아요 → 와요
futuro : 오 + ㄹ 거예요 → 올 거예요

(58) 올라가다 [ollagada]

subir

Subir de abajo hacia arriba, de un lugar bajo a uno alto.

pasado : 올라가 + 았어요 → 올라갔어요
presente : 올라가 + 아요 → 올라가요
futuro : 올라가 + ㄹ 거예요 → 올라갈 거예요

(59) 올라오다 [ollaoda]

venir

Subir de un lugar bajo a uno alto.

pasado : 올라오 + 았어요 → 올라왔어요
presente : 올라오 + 아요 → 올라와요
futuro : 올라오 + ㄹ 거예요 → 올라올 거예요

(60) 울다 [ulda]

llorar

Derramar lágrimas por tristeza, dolor, o alegría excesivos. O derramar lágrimas de tal manera con lamentos.

pasado : 울 + 었어요 → 울었어요
presente : 울 + 어요 → 울어요
futuro : 울 + ㄹ 거예요 → 울 거예요

(61) 움직이다 [umjigida]

mover, moverse

Cambiar o cambiarse de posición o postura.

pasado : 움직이 + 었어요 → 움직였어요
presente : 움직이 + 어요 → 움직여요
futuro : 움직이 + ㄹ 거예요 → 움직일 거예요

(62) 웃다 [utda]

reír

Manifestar alegría con ciertos movimientos del rostro y sonidos característicos.

pasado : 웃 + 었어요 → 웃었어요
presente : 웃 + 어요 → 웃어요
futuro : 웃 + 을 거예요 → 웃을 거예요

(63) 일어나다 [ireonada]

levantarse

Sentarse uno tras haber estado acostado o levantarse tras haber estado sentado.

pasado : 일어나 + 았어요 → 일어났어요
presente : 일어나 + 아요 → 일어나요
futuro : 일어나 + ㄹ 거예요 → 일어날 거예요

(64) 일어서다 [ireoseoda]

levantarse

Ponerse uno de pie tras estar sentado.

pasado : 일어서 + 었어요 → 일어섰어요
presente : 일어서 + 어요 → 일어서요
futuro : 일어서 + ㄹ 거예요 → 일어설 거예요

(65) 잡다 [japda]

agarrar, coger, sujetar

Sostener algo con las manos.

pasado : 잡 + 았어요 → 잡았어요
presente : 잡 + 아요 → 잡아요
futuro : 잡 + 을 거예요 → 잡을 거예요

(66) 접다 [jeopda]

doblar

Plegar un papel o una tela para que se queden sobrepuestos.

pasado : 접 + 었어요 → 접었어요
presente : 접 + 어요 → 접어요
futuro : 접 + 을 거예요 → 접을 거예요

(67) 지나가다 [jinagada]

atravesar

Llegar a un lugar atravesando algo.

pasado : 지나가 + 았어요 → 지나갔어요
presente : 지나가 + 아요 → 지나가요
futuro : 지나가 + ㄹ 거예요 → 지나갈 거예요

(68) 지르다 [jireuda]

gritar, chillar

Elevar la voz a un tono muy fuerte.

pasado : 지르 + 었어요 → 질렀어요
presente : 지르 + 어요 → 질러요
futuro : 지르 + ㄹ 거예요 → 지를 거예요

(69) 차다 [chada]

patear

Estirar la pierna para para empujar o recibir y levantar algo con fuerza.

pasado : 차 + 았어요 → 찼어요
presente : 차 + 아요 → 차요
futuro : 차 + ㄹ 거예요 → 찰 거예요

(70) 쳐다보다 [cheodaboda]

observar

Mirar hacia arriba desde abajo.

pasado : 쳐다보 + 았어요 → 쳐다봤어요
presente : 쳐다보 + 아요 → 쳐다봐요
futuro : 쳐다보 + ㄹ 거예요 → 쳐다볼 거예요

(71) 치다 [chida]

golpear, tropezar, chocar

Hacer que una mano o un objeto se golpee fuertemente con algo.

pasado : 치 + 었어요 → 쳤어요
presente : 치 + 어요 → 쳐요
futuro : 치 + ㄹ 거예요 → 칠 거예요

(72) 흔들다 [heundeulda]

agitar

Hacer que algo siga moviéndose hacia adelante y atrás, o hacia ambos costados.

pasado : 흔들 + 었어요 → 흔들었어요
presente : 흔들 + 어요 → 흔들어요
futuro : 흔들 + ㄹ 거예요 → 흔들 거예요

(73) 기억나다 [gieongnada]

recordar, acordarse, hacer memoria

Surgir en la mente o en el corazón algún aspecto, hecho, conocimiento, experiencia, etc. de antes.

pasado : 기억나 + 았어요 → 기억났어요
presente : 기억나 + 아요 → 기억나요
futuro : 기억나 + ㄹ 거예요 → 기억날 거예요

(74) 모르다 [moreuda]

desconocer

No conocer algo o a alguien, o no comprenderlos.

pasado : 모르 + 았어요 → 몰랐어요
presente : 모르 + 아요 → 몰라요
futuro : 모르 + ㄹ 거예요 → 모를 거예요

(75) 믿다 [mitda]

creer, confiar, pensar, estimar, imaginar, suponer

Pensar algo como cierto o verdadero.

pasado : 믿 + 었어요 → 믿었어요
presente : 믿 + 어요 → 믿어요
futuro : 믿 + 을 거예요 → 믿을 거예요

(76) 바라다 [barada]

desear, querer, esperar, ansiar

Esperar que algún deseo o ilusión se realice.

pasado : 바라 + 았어요 → 바랐어요
presente : 바라 + 아요 → 바라요
futuro : 바라 + ㄹ 거예요 → 바랄 거예요

(77) 보이다 [boida]

mostrar, enseñar

Dar a conocer por los ojos la existencia o la apariencia de un objeto.

pasado : 보이 + 었어요 → 보였어요
presente : 보이 + 어요 → 보여요
futuro : 보이 + ㄹ 거예요 → 보일 거예요

(78) 생각나다 [saenggangnada]

discurrir

Inventar o idear cosas nuevas.

pasado : 생각나 + 았어요 → 생각났어요
presente : 생각나 + 아요 → 생각나요
futuro : 생각나 + ㄹ 거예요 → 생각날 거예요

(79) 알다 [alda]

saber, conocer, aprender

Adquirir un conocimiento o una información sobre la situación de un objeto mediante la educación, experiencia o pensamiento.

pasado : 알 + 았어요 → 알았어요
presente : 알 + 아요 → 알아요
futuro : 알 + ㄹ 거예요 → 알 거예요

(80) 알리다 [allida]

informar, comunicar, avisar

Concientizar o dar a conocer algo desconocido u olvidado.

pasado : 알리 + 었어요 → 알렸어요
presente : 알리 + 어요 → 알려요
futuro : 알리 + ㄹ 거예요 → 알릴 거예요

(81) 외우다 [oeuda]

memorizar, conocer de memoria

Recordar sin olvidar el contenido de la conversación o de un texto.

pasado : 외우 + 었어요 → 외웠어요
presente : 외우 + 어요 → 외워요
futuro : 외우 + ㄹ 거예요 → 외울 거예요

(82) 원하다 [wonhada]

querer, desear

Querer o aspirar a algo con vehemencia.

pasado : 원하 + 였어요 → 원했어요
presente : 원하 + 여요 → 원해요
futuro : 원하 + ㄹ 거예요 → 원할 거예요

(83) 잊다 [itda]

olvidarse

No recordar o no poder recordar lo que uno sabía.

pasado : 잊 + 었어요 → 잊었어요
presente : 잊 + 어요 → 잊어요
futuro : 잊 + 을 거예요 → 잊을 거예요

(84) 잊어버리다 [ijeobeorida]

olvidarse completamente

No recordar todo o no poder recordar por completo lo que uno sabía.

pasado : 잊어버리 + 었어요 → 잊어버렸어요
presente : 잊어버리 + 어요 → 잊어버려요
futuro : 잊어버리 + ㄹ 거예요 → 잊어버릴 거예요

(85) 기르다 [gireuda]

criar, alimentar, nutrir, cebar

Proteger, alimentar o nutrir plantas o animales para que crezcan.

pasado : 기르 + 었어요 → 길렀어요
presente : 기르 + 어요 → 길러요
futuro : 기르 + ㄹ 거예요 → 기를 거예요

(86) 살다 [salda]

vivir

Tener vida.

pasado : 살 + 았어요 → 살았어요
presente : 살 + 아요 → 살아요
futuro : 살 + ㄹ 거예요 → 살 거예요

(87) 죽다 [jukda]

morir, fallecer

Dejar de vivir un organismo.

pasado : 죽 + 었어요 → 죽었어요
presente : 죽 + 어요 → 죽어요
futuro : 죽 + 을 거예요 → 죽을 거예요

(88) 지내다 [jinaeda]

vivir

Sustentarse o pasar el día a día según alguna situación o estado.

pasado : 지내 + 었어요 → 지냈어요
presente : 지내 + 어요 → 지내요
futuro : 지내 + ㄹ 거예요 → 지낼 거예요

(89) 태어나다 [taeeonada]

nacer

Salir fuera del cuerpo de la madre una persona o un animal después de tener una cierta forma.

pasado : 태어나 + 았어요 → 태어났어요
presente : 태어나 + 아요 → 태어나요
futuro : 태어나 + ㄹ 거예요 → 태어날 거예요

(90) 감다 [gamda]

cerrar los ojos

Cerramiento de los párpados hasta cubrir completamente los ojos.

pasado : 감 + 았어요 → 감았어요
presente : 감 + 아요 → 감아요
futuro : 감 + 을 거예요 → 감을 거예요

(91) 깨다 [kkaeda]

despertarse, desadormecerse

Volver al estado normal librándose del sueño. O hacer que se haga así.

pasado : 깨 + 었어요 → 깼어요
presente : 깨 + 어요 → 깨요
futuro : 깨 + ㄹ 거예요 → 깰 거예요

(92) 꾸다 [kkuda]

soñar

Ver, escuchar y sentir como realidad en el sueño mientras se duerme.

pasado : 꾸 + 었어요 → 꾸었어요
presente : 꾸 + 어요 → 꾸어요
futuro : 꾸 + ㄹ 거예요 → 꿀 거예요

(93) 눕다 [nupda]

acostarse, tenderse, tumbarse

Dícese de una persona o un animal: Reclinar su cuerpo horizontalmente sobre su espalda o costado.

pasado : 눕 + 었어요 → 누웠어요
presente : 눕 + 어요 → 누워요
futuro : 눕 + ㄹ 거예요 → 누울 거예요

(94) 다녀오다 [danyeooda]

Ir y venir

Regresar luego de visitar un lugar.

pasado : 다녀오 + 았어요 → 다녀왔어요
presente : 다녀오 + 아요 → 다녀와요
futuro : 다녀오 + ㄹ 거예요 → 다녀올 거예요

(95) 다니다 [danida]

frecuentar

Acudir con frecuencia a un lugar.

pasado : 다니 + 었어요 → 다녔어요
presente : 다니 + 어요 → 다녀요
futuro : 다니 + ㄹ 거예요 → 다닐 거예요

(96) 닦다 [dakda]

limpiar

Fregar algo para quitarle la suciedad.

pasado : 닦 + 았어요 → 닦았어요
presente : 닦 + 아요 → 닦아요
futuro : 닦 + 을 거예요 → 닦을 거예요

(97) 씻다 [ssitda]

lavar, limpiar

Hacer que quede limpio eliminando una mancha o suciedad.

pasado : 씻 + 었어요 → 씻었어요
presente : 씻 + 어요 → 씻어요
futuro : 씻 + 을 거예요 → 씻을 거예요

(98) 일어나다 [ireonada]

levantarse

Despertarse del sueño.

pasado : 일어나 + 았어요 → 일어났어요
presente : 일어나 + 아요 → 일어나요
futuro : 일어나 + ㄹ 거예요 → 일어날 거예요

(99) 자다 [jada]

dormir

Quedar en estado de descanso por un tiempo cerrando los ojos y cesando una actividad física y mental.

pasado : 자 + 았어요 → 잤어요
presente : 자 + 아요 → 자요
futuro : 자 + ㄹ 거예요 → 잘 거예요

(100) 잠자다 [jamjada]

dormir

Suspender la actividad física y psíquica; y reposar por cierto momento.

pasado : 잠자 + 았어요 → 잠잤어요
presente : 잠자 + 아요 → 잠자요
futuro : 잠자 + ㄹ 거예요 → 잠잘 거예요

(101) 주무시다 [jumusida]

dormir

(TRATAMIENTO HONORÍFICO) Dormir.

pasado : 주무시 + 었어요 → 주무셨어요
presente : 주무시 + 어요 → 주무셔요
futuro : 주무시 + ㄹ 거예요 → 주무실 거예요

(102) 구경하다 [gugyeonghada]

ojear

Mirar con atención o interés.

pasado : 구경하 + 였어요 → 구경했어요
presente : 구경하 + 여요 → 구경해요
futuro : 구경하 + ㄹ 거예요 → 구경할 거예요

(103) 그리다 [geurida]

dibujar, trazar, delinear

Representar algo en líneas o colores utilizando lápiz, pincel, etc.

pasado : 그리 + 었어요 → 그렸어요
presente : 그리 + 어요 → 그려요
futuro : 그리 + ㄹ 거예요 → 그릴 거예요

(104) 노래하다 [noraehada]

cantar, componer

Producir o formar con la voz sonidos melodiosos de la letra de una canción compuesta de acuerdo con la métrica.

pasado : 노래하 + 였어요 → 노래했어요
presente : 노래하 + 여요 → 노래해요
futuro : 노래하 + ㄹ 거예요 → 노래할 거예요

(105) 놀다 [nolda]

divertirse

Pasar el tiempo divirtiéndose con juegos.

pasado : 놀 + 았어요 → 놀았어요
presente : 놀 + 아요 → 놀아요
futuro : 놀 + ㄹ 거예요 → 놀 거예요

(106) 독서하다 [dokseohada]

leer

Pasar la vista por lo escrito o impreso, generalmente libros, entendiendo los signos.

pasado : 독서하 + 였어요 → 독서했어요
presente : 독서하 + 여요 → 독서해요
futuro : 독서하 + ㄹ 거예요 → 독서할 거예요

(107) 등산하다 [deungsanhada]

escalar

Subir un monte con fines recreativos o para hacer ejercicio.

pasado : 등산하 + 였어요 → 등산했어요
presente : 등산하 + 여요 → 등산해요
futuro : 등산하 + ㄹ 거예요 → 등산할 거예요

(108) 부르다 [bureuda]

cantar

Cantar de acuerdo a la melodía.

pasado : 부르 + 었어요 → 불렀어요
presente : 부르 + 어요 → 불러요
futuro : 부르 + ㄹ 거예요 → 부를 거예요

(109) 불다 [bulda]

tocar

Hacer sonar por la boca el instrumento de viento exhalando aire en él.

pasado : 불 + 었어요 → 불었어요
presente : 불 + 어요 → 불어요
futuro : 불 + ㄹ 거예요 → 불 거예요

(110) 산책하다 [sanchaekada]

pasear

Ir andando lento por un lugar cercano para relajarse o hacer ejercicio simple.

pasado : 산책하 + 였어요 → 산책했어요
presente : 산책하 + 여요 → 산책해요
futuro : 산책하 + ㄹ 거예요 → 산책할 거예요

(111) 수영하다 [suyeonghada]

nadar, bañarse, bucear, flotar, bracear, zambullirse

Moverse bajo el agua.

pasado : 수영하 + 였어요 → 수영했어요
presente : 수영하 + 여요 → 수영해요
futuro : 수영하 + ㄹ 거예요 → 수영할 거예요

(112) 여행하다 [yeohaenghada]

viajar

Hacer un viaje por todas partes trasladándose a otra región o país tras apartarse de su casa.

pasado : 여행하 + 였어요 → 여행했어요
presente : 여행하 + 여요 → 여행해요
futuro : 여행하 + ㄹ 거예요 → 여행할 거예요

(113) 운동하다 [undonghada]

ejercitar, hacer ejercicio

Fortalecer el cuerpo o mover el cuerpo para la salud.

pasado : 운동하 + 였어요 → 운동했어요
presente : 운동하 + 여요 → 운동해요
futuro : 운동하 + ㄹ 거예요 → 운동할 거예요

(114) 즐기다 [jeulgida]

disfrutar, gozar

Sentir a pleno la sensación de alegría.

pasado : 즐기 + 었어요 → 즐겼어요
presente : 즐기 + 어요 → 즐겨요
futuro : 즐기 + ㄹ 거예요 → 즐길 거예요

(115) 찍다 [jjikda]

tomar, capturar, filmar, sacar

Pasar a una película fotográfica filmando la escena con una cámara.

pasado : 찍 + 었어요 → 찍었어요
presente : 찍 + 어요 → 찍어요
futuro : 찍 + 을 거예요 → 찍을 거예요

(116) 추다 [chuda]

mover, bailar, danzar

Hacer movimientos de un baile.

pasado : 추 + 었어요 → 췄어요
presente : 추 + 어요 → 춰요
futuro : 추 + ㄹ 거예요 → 출 거예요

(117) 춤추다 [chumchuda]

bailar, danzar

Mover el cuerpo al rimo regular de la música.

pasado : 춤추 + 었어요 → 춤췄어요
presente : 춤추 + 어요 → 춤춰요
futuro : 춤추 + ㄹ 거예요 → 춤출 거예요

(118) 켜다 [kyeoda]

tocar, interpretar

Producir sonido raspando el arco contra las cuerdas de un instrumento de percusión.

pasado : 켜 + 었어요 → 켰어요
presente : 켜 + 어요 → 켜요
futuro : 켜 + ㄹ 거예요 → 켤 거예요

(119) 타다 [tada]

montar, subir, mover

Mover el cuerpo sobre un juego como la hamaca o el sube y baja.

pasado : 타 + 았어요 → 탔어요
presente : 타 + 아요 → 타요
futuro : 타 + ㄹ 거예요 → 탈 거예요

(120) 검사하다 [geomsahada]

inspeccionar

Examen que se realiza de un asunto u objeto para comprobar su veracidad o falsedad o su bondad o maldad.

pasado : 검사하 + 였어요 → 검사했어요
presente : 검사하 + 여요 → 검사해요
futuro : 검사하 + ㄹ 거예요 → 검사할 거예요

(121) 고치다 [gochida]

curar

Sanar o remediar una enfermedad.

pasado : 고치 + 었어요 → 고쳤어요
presente : 고치 + 어요 → 고쳐요
futuro : 고치 + ㄹ 거예요 → 고칠 거예요

(122) 바르다 [bareuda]

untar, poner, pintar

Aplicar superficialmente líquido o polvos sobre algo.

pasado : 바르 + 았어요 → 발랐어요
presente : 바르 + 아요 → 발라요
futuro : 바르 + ㄹ 거예요 → 바를 거예요

(123) 수술하다 [susulhada]

operar

Incidir, amputar, poner o coser una parte del cuerpo para curar la enfermedad.

pasado : 수술하 + 였어요 → 수술했어요
presente : 수술하 + 여요 → 수술해요
futuro : 수술하 + ㄹ 거예요 → 수술할 거예요

(124) 입원하다 [ibwonhada]

hospitalizarse

Internarse una persona en un hospital para permanecer allí durante un tiempo y someterse a un tratamiento.

pasado : 입원하 + 였어요 → 입원했어요
presente : 입원하 + 여요 → 입원해요
futuro : 입원하 + ㄹ 거예요 → 입원할 거예요

(125) 퇴원하다 [toewonhada]

salir del hospital, ser dado el alta

Dicho de un paciente que permanecía hospitalizado durante cierto período de tiempo, salir del hospital para reincorporarse en la vida ordinaria tras recibir el alta médica.

pasado : 퇴원하 + 였어요 → 퇴원했어요
presente : 퇴원하 + 여요 → 퇴원해요
futuro : 퇴원하 + ㄹ 거예요 → 퇴원할 거예요

(126) 먹다 [meokda]

comer

Introducir por boca alimentos, etc. en el estómago.

pasado : 먹 + 었어요 → 먹었어요
presente : 먹 + 어요 → 먹어요
futuro : 먹 + 을 거예요 → 먹을 거예요

(127) 마시다 [masida]

beber

Hacer que un líquido pase de la boca al estómago.

pasado : 마시 + 었어요 → 마셨어요
presente : 마시 + 어요 → 마셔요
futuro : 마시 + ㄹ 거예요 → 마실 거예요

(128) 굽다 [gupda]

asar

Poner la comida al fuego para cocerla.

pasado : 굽 + 었어요 → 구웠어요
presente : 굽 + 어요 → 구워요
futuro : 굽 + ㄹ 거예요 → 구울 거예요

(129) 깎다 [kkakda]

pelar, mondar, descortezar, descascarillar

Cortar finamente la corteza de algún objeto o las cáscaras de frutas con utensilios como el cuchillo.

pasado : 깎 + 았어요 → 깎았어요
presente : 깎 + 아요 → 깎아요
futuro : 깎 + 을 거예요 → 깎을 거예요

(130) 끓다 [kkeulta]

calentar, hervir, bullir, borbotear, burbujear

Hacer burbujas un líquido por calentarse mucho.

pasado : 끓 + 었어요 → 끓었어요
presente : 끓 + 어요 → 끓어요
futuro : 끓 + 을 거예요 → 끓을 거예요

(131) 끓이다 [kkeurida]

cocer, cocinar, guisar

Preparar un alimento calentándolo en agua o líquido.

pasado : 끓이 + 었어요 → 끓였어요
presente : 끓이 + 어요 → 끓여요
futuro : 끓이 + ㄹ 거예요 → 끓일 거예요

(132) 볶다 [bokda]

asar, tostar, cocer, dorar

Cocer a fuego un alimento del que se ha eliminado casi el agua removiéndolo de un lado a otro.

pasado : 볶 + 았어요 → 볶았어요
presente : 볶 + 아요 → 볶아요
futuro : 볶 + 을 거예요 → 볶을 거예요

(133) 섞다 [seokda]

mezclar

Juntar, unir, incorporar más de dos cosas.

pasado : 섞 + 었어요 → 섞었어요
presente : 섞 + 어요 → 섞어요
futuro : 섞 + 을 거예요 → 섞을 거예요

(134) 썰다 [sseolda]

cortar, tajar, talar, tronchar, guillotinar

Cortar algo en dos o más pedazos con cuchillo o serrucho, presionándolo sobre el objeto a cortar y moviéndolo hacia adelante y atrás.

pasado : 썰 + 었어요 → 썰었어요
presente : 썰 + 어요 → 썰어요
futuro : 썰 + ㄹ 거예요 → 썰 거예요

(135) 씹다 [ssipda]

masticar, mascar

Dícese de una persona o un animal: triturar o moler la comida con los dientes.

pasado : 씹 + 었어요 → 씹었어요
presente : 씹 + 어요 → 씹어요
futuro : 씹 + 을 거예요 → 씹을 거예요

(136) 익다 [ikda]

cocer

Cambiar el sabor o la propiedad de una carne, verdura o un grano por recibir calor.

pasado : 익 + 었어요 → 익었어요
presente : 익 + 어요 → 익어요
futuro : 익 + 을 거예요 → 익을 거예요

(137) 찌다 [jjida]

cocer

Calentar o cocinar un alimento con vapor caliente.

pasado : 찌 + 었어요 → 쪘어요
presente : 찌 + 어요 → 쪄요
futuro : 찌 + ㄹ 거예요 → 찔 거예요

(138) 타다 [tada]

quemar, abrasar

Cocinarse demasiado hasta quedar negro por el excesivo calor.

pasado : 타 + 았어요 → 탔어요
presente : 타 + 아요 → 타요
futuro : 타 + ㄹ 거예요 → 탈 거예요

(139) 튀기다 [twigida]

freír

Introducir un alimento en aceite hirviendo para cocerlo.

pasado : 튀기 + 었어요 → 튀겼어요
presente : 튀기 + 어요 → 튀겨요
futuro : 튀기 + ㄹ 거예요 → 튀길 거예요

(140) 갈아입다 [garaipda]

cambiarse

Quitarse la ropa puesta y ponerse otra.

pasado : 갈아입 + 었어요 → 갈아입었어요
presente : 갈아입 + 어요 → 갈아입어요
futuro : 갈아입 + 을 거예요 → 갈아입을 거예요

(141) 끼다 [kkida]

clavarse, hincarse, hundirse, introducirse, incrustarse, penetrarse, fijarse

Ensartar o insertar algo dejándolo enganchado para que no se desate.

pasado : 끼 + 었어요 → 꼈어요
presente : 끼 + 어요 → 껴요
futuro : 끼 + ㄹ 거예요 → 낄 거예요

(142) 매다 [maeda]

atar, anudar

Sujetar con ligaduras una cosa o unir las puntas de una ligadura de modo que no se suelte.

pasado : 매 + 었어요 → 맸어요
presente : 매 + 어요 → 매요
futuro : 매 + ㄹ 거예요 → 맬 거예요

(143) 벗다 [beotda]

quitarse, sacarse, despojarse

Apartar del cuerpo cosas, ropa, etc. que se llevan en el cuerpo.

pasado : 벗 + 었어요 → 벗었어요
presente : 벗 + 어요 → 벗어요
futuro : 벗 + 을 거예요 → 벗을 거예요

(144) 신다 [sinda]

ponerse, calzar

Meter el pie en el calzado o calcetín para cubrirlo completa o parcialmente.

pasado : 신 + 었어요 → 신었어요
presente : 신 + 어요 → 신어요
futuro : 신 + 을 거예요 → 신을 거예요

(145) 쓰다 [sseuda]

ponerse, aderezarse

Ponerse en la cabeza sombrero, peluca, etc.

pasado : 쓰 + 었어요 → 썼어요
presente : 쓰 + 어요 → 써요
futuro : 쓰 + ㄹ 거예요 → 쓸 거예요

(146) 입다 [ipda]

vestirse

Llevarse o ponerse ropa en el cuerpo.

pasado : 입 + 었어요 → 입었어요
presente : 입 + 어요 → 입어요
futuro : 입 + 을 거예요 → 입을 거예요

(147) 차다 [chada]

poner, colocar

Colgar, enganchar o insertar un objeto en la cintura, la muñeca o el tobillo.

pasado : 차 + 았어요 → 찼어요
presente : 차 + 아요 → 차요
futuro : 차 + ㄹ 거예요 → 찰 거예요

(148) 기르다 [gireuda]

dejar crecer

Hacer que crezca el cabello, la barba, etc.

pasado : 기르 + 었어요 → 길렀어요
presente : 기르 + 어요 → 길러요
futuro : 기르 + ㄹ 거예요 → 기를 거예요

(149) 깎다 [kkakda]

cortar, podar, segar

Recortar el césped, vello, etc..

pasado : 깎 + 았어요 → 깎았어요
presente : 깎 + 아요 → 깎아요
futuro : 깎 + 을 거예요 → 깎을 거예요

(150) 드라이하다 [deuraihada]

secar el pelo

Extraer la humedad del cabello con un secador.

pasado : 드라이하 + 였어요 → 드라이했어요
presente : 드라이하 + 여요 → 드라이해요
futuro : 드라이하 + ㄹ 거예요 → 드라이할 거예요

(151) 면도하다 [myeondohada]

afeitarse

Rasurar el pelo del cuerpo, especialmente el de la cara.

pasado : 면도하 + 였어요 → 면도했어요
presente : 면도하 + 여요 → 면도해요
futuro : 면도하 + ㄹ 거예요 → 면도할 거예요

(152) 빗다 [bitda]

peinarse

Desenredarse el cabello o el vello con el peine o las manos.

pasado : 빗 + 었어요 → 빗었어요
presente : 빗 + 어요 → 빗어요
futuro : 빗 + 을 거예요 → 빗을 거예요

(153) 염색하다 [yeomsaekada]

teñir, colorear

Dar cierto color a una tela, hilo, cabello, etc.

pasado : 염색하 + 였어요 → 염색했어요
presente : 염색하 + 여요 → 염색해요
futuro : 염색하 + ㄹ 거예요 → 염색할 거예요

(154) 이발하다 [ibalhada]

hacer un corte de pelo

Cortarse el cabello.

pasado : 이발하 + 였어요 → 이발했어요
presente : 이발하 + 여요 → 이발해요
futuro : 이발하 + ㄹ 거예요 → 이발할 거예요

(155) 파마하다 [pamahada]

hacer la permanente

Enrular o enderezar el pelo con máquina o químicos para que se mantenga en ese estado por mucho tiempo.

pasado : 파마하 + 였어요 → 파마했어요
presente : 파마하 + 여요 → 파마해요
futuro : 파마하 + ㄹ 거예요 → 파마할 거예요

(156) 화장하다 [hwajanghada]

maquillarse

Dicho de una persona, hacerse ver más bella mediante la aplicación de cosméticos en el rostro.

pasado : 화장하 + 였어요 → 화장했어요
presente : 화장하 + 여요 → 화장해요
futuro : 화장하 + ㄹ 거예요 → 화장할 거예요

(157) 이사하다 [isahada]

mudarse, trasladarse, marcharse, moverse, irse

Acción de trasladarse a otro lugar abandonando el que vivía.

pasado : 이사하 + 였어요 → 이사했어요
presente : 이사하 + 여요 → 이사해요
futuro : 이사하 + ㄹ 거예요 → 이사할 거예요

(158) 머무르다 [meomureuda]

detenerse, quedarse temporalmente, alojarse

Detenerse en medio de alguna actividad o vivir temporalmente en un lugar.

pasado : 머무르 + 었어요 → 머물렀어요
presente : 머무르 + 어요 → 머물러요
futuro : 머무르 + ㄹ 거예요 → 머무를 거예요

(159) 묵다 [mukda]

alojarse, hospedarse

Estar como huésped en algún lugar.

pasado : 묵 + 었어요 → 묵었어요
presente : 묵 + 어요 → 묵어요
futuro : 묵 + 을 거예요 → 묵을 거예요

(160) 숙박하다 [sukbakada]

hospedarse, alojarse, aposentarse, albergarse

Dormir y quedarse en lugares como hostal, hotel, etc.

pasado : 숙박하 + 였어요 → 숙박했어요
presente : 숙박하 + 여요 → 숙박해요
futuro : 숙박하 + ㄹ 거예요 → 숙박할 거예요

(161) 체류하다 [cheryuhada]

residir, permanecer

Permanecer en algún lugar lejos de casa.

pasado : 체류하 + 였어요 → 체류했어요
presente : 체류하 + 여요 → 체류해요
futuro : 체류하 + ㄹ 거예요 → 체류할 거예요

(162) 걸다 [geolda]

colgar

Sujetar una cosa de manera que no se caiga.

pasado : 걸 + 었어요 → 걸었어요
presente : 걸 + 어요 → 걸어요
futuro : 걸 + ㄹ 거예요 → 걸 거예요

(163) 고치다 [gochida]

reparar

Arreglar lo que se ha roto o no funciona para continuar usándolo.

pasado : 고치 + 었어요 → 고쳤어요
presente : 고치 + 어요 → 고쳐요
futuro : 고치 + ㄹ 거예요 → 고칠 거예요

(164) 끄다 [kkeuda]

extinguir, apagar, sofocar, ahogar

Hacer que cese el fuego.

pasado : 끄 + 었어요 → 껐어요
presente : 끄 + 어요 → 꺼요
futuro : 끄 + ㄹ 거예요 → 끌 거예요

(165) 빨다 [ppalda]

lavar

Limpiar con la mano una prenda dejándola en agua o eliminar la suciedad con el lavarropas.

pasado : 빨 + 았어요 → 빨았어요
presente : 빨 + 아요 → 빨아요
futuro : 빨 + ㄹ 거예요 → 빨 거예요

(166) 설거지하다 [seolgeojihada]

lavar los platos

Limpiar y arreglar los platos después de comer.

pasado : 설거지하 + 였어요 → 설거지했어요
presente : 설거지하 + 여요 → 설거지해요
futuro : 설거지하 + ㄹ 거예요 → 설거지할 거예요

(167) 세탁하다 [setakada]

lavar la ropa

Lavar la ropa sucia.

pasado : 세탁하 + 였어요 → 세탁했어요
presente : 세탁하 + 여요 → 세탁해요
futuro : 세탁하 + ㄹ 거예요 → 세탁할 거예요

(168) 정리하다 [jeongnihada]

arreglar

Juntar o desenredar lo que está en estado desordenado o desorganizado.

pasado : 정리하 + 였어요 → 정리했어요
presente : 정리하 + 여요 → 정리해요
futuro : 정리하 + ㄹ 거예요 → 정리할 거예요

(169) 청소하다 [cheongsohada]

Limpiar

Quitar la suciedad y todo lo desordenado dejándolo limpio.

pasado : 청소하 + 였어요 → 청소했어요
presente : 청소하 + 여요 → 청소해요
futuro : 청소하 + ㄹ 거예요 → 청소할 거예요

(170) 켜다 [kyeoda]

encender, prender

Prender fuego en una lámpara de aceite o una vela, o levantar fuego con un fósforo o un encendedor.

pasado : 켜 + 었어요 → 켰어요
presente : 켜 + 어요 → 켜요
futuro : 켜 + ㄹ 거예요 → 켤 거예요

(171) 말리다 [mallida]

secar

Hacer que algo quede sin humedad.

pasado : 말리 + 었어요 → 말렸어요
presente : 말리 + 어요 → 말려요
futuro : 말리 + ㄹ 거예요 → 말릴 거예요

(172) 삶다 [samda]

hervir

Hacer hervir una cosa con agua.

pasado : 삶 + 았어요 → 삶았어요
presente : 삶 + 아요 → 삶아요
futuro : 삶 + 을 거예요 → 삶을 거예요

(173) 쓸다 [sseulda]

barrer

Limpiar algo llevándolo a un lugar.

pasado : 쓸 + 었어요 → 쓸었어요
presente : 쓸 + 어요 → 쓸어요
futuro : 쓸 + ㄹ 거예요 → 쓸 거예요

(174) 가져가다 [gajeogada]

llevar, trasladar

Transportar un objeto de un lugar a otro.

pasado : 가져가 + 았어요 → 가져갔어요
presente : 가져가 + 아요 → 가져가요
futuro : 가져가 + ㄹ 거예요 → 가져갈 거예요

(175) 가져오다 [gajeooda]

traer, acercar

Trasladar un objeto de un lugar a otro, en concreto, conducirlo al lugar desde donde se habla.

pasado : 가져오 + 았어요 → 가져왔어요
presente : 가져오 + 아요 → 가져와요
futuro : 가져오 + ㄹ 거예요 → 가져올 거예요

(176) 거절하다 [geojeolhada]

rechazar

No aceptar una solicitud, una propuesta o un regalo de otro.

pasado : 거절하 + 였어요 → 거절했어요
presente : 거절하 + 여요 → 거절해요
futuro : 거절하 + ㄹ 거예요 → 거절할 거예요

(177) 걸다 [geolda]

telefonear

Llamar por teléfono.

pasado : 걸 + 었어요 → 걸었어요
presente : 걸 + 어요 → 걸어요
futuro : 걸 + ㄹ 거예요 → 걸 거예요

(178) 기다리다 [gidarida]

esperar, aguardar, permanecer, quedarse

Dejar pasar el tiempo hasta que llegue una persona o una oportunidad, o se realice cierto hecho.

pasado : 기다리 + 었어요 → 기다렸어요
presente : 기다리 + 어요 → 기다려요
futuro : 기다리 + ㄹ 거예요 → 기다릴 거예요

(179) 나누다 [nanuda]

compartir, intercambiar, cambiar

Intercambiarse palabras, opiniones, saludos, etc..

pasado : 나누 + 었어요 → 나눴어요
presente : 나누 + 어요 → 나눠요
futuro : 나누 + ㄹ 거예요 → 나눌 거예요

(180) 데려가다 [deryeogada]

guiar, acompañar

Llevarse o conducirse a alguien.

pasado : 데려가 + 았어요 → 데려갔어요
presente : 데려가 + 아요 → 데려가요
futuro : 데려가 + ㄹ 거예요 → 데려갈 거예요

(181) 데려오다 [deryeooda]

traer

Llevar a alguien.

pasado : 데려오 + 았어요 → 데려왔어요
presente : 데려오 + 아요 → 데려와요
futuro : 데려오 + ㄹ 거예요 → 데려올 거예요

(182) 데이트하다 [deiteuhada]

tener citas

Mantener encuentros con gente del sexo opuesto a fin de conseguir pareja.

pasado : 데이트하 + 였어요 → 데이트했어요
presente : 데이트하 + 여요 → 데이트해요
futuro : 데이트하 + ㄹ 거예요 → 데이트할 거예요

(183) 도와주다 [dowajuda]

ayudar

Dar una mano, asistir.

pasado : 도와주 + 었어요 → 도와줬어요
presente : 도와주 + 어요 → 도와줘요
futuro : 도와주 + ㄹ 거예요 → 도와줄 거예요

(184) 돌려주다 [dollyeojuda]

devolver

Restituir a una persona lo que poseía o una cantidad que había desembolsado.

pasado : 돌려주 + 었어요 → 돌려줬어요
presente : 돌려주 + 어요 → 돌려줘요
futuro : 돌려주 + ㄹ 거예요 → 돌려줄 거예요

(185) 돕다 [dopda]

ayudar, cooperar

Colaborar con otros para un mismo objetivo, en general con fines asistenciales.

pasado : 돕 + 았어요 → 도왔어요
presente : 돕 + 아요 → 도와요
futuro : 돕 + ㄹ 거예요 → 도울 거예요

(186) 드리다 [deurida]

obsequiar

(TRATAMIENTO HONORÍFICO) Dar. Traspasar una cosa a una persona para que se adueñe o la aproveche.

pasado : 드리 + 었어요 → 드렸어요
presente : 드리 + 어요 → 드려요
futuro : 드리 + ㄹ 거예요 → 드릴 거예요

(187) 만나다 [mannada]

encontrarse

Acudir a un lugar para reunirse con otras personas.

pasado : 만나 + 았어요 → 만났어요
presente : 만나 + 아요 → 만나요
futuro : 만나 + ㄹ 거예요 → 만날 거예요

(188) 바꾸다 [bakkuda]

cambiar, convertir, transformar

Dejar lo que se tenía para tomar otra cosa.

pasado : 바꾸 + 었어요 → 바꿨어요
presente : 바꾸 + 어요 → 바꿔요
futuro : 바꾸 + ㄹ 거예요 → 바꿀 거예요

(189) 받다 [batda]

recibir, percibir, obtener, aceptar, tomar, coger

Tomar alguien lo que le dan o le envían otras personas.

pasado : 받 + 았어요 → 받았어요
presente : 받 + 아요 → 받아요
futuro : 받 + 을 거예요 → 받을 거예요

(190) 방문하다 [bangmunhada]

visitar, hacer visita

Ir a visitar cierto lugar para encontrarse con alguien o ver algo.

pasado : 방문하 + 였어요 → 방문했어요
presente : 방문하 + 여요 → 방문해요
futuro : 방문하 + ㄹ 거예요 → 방문할 거예요

(191) 보내다 [bonaeda]

enviar, mandar, despachar, remitir

Hacer que vaya alguien o algo a otro lugar.

pasado : 보내 + 었어요 → 보냈어요
presente : 보내 + 어요 → 보내요
futuro : 보내 + ㄹ 거예요 → 보낼 거예요

(192) 보다 [boda]

ver, contemplar, observar

Disfrutar o apreciar algo con los ojos.

pasado : 보 + 았어요 → 봤어요
presente : 보 + 아요 → 봐요
futuro : 보 + ㄹ 거예요 → 볼 거예요

(193) 뵈다 [boeda]

ver, visitar, encontrar

Encontrarse con una persona superior.

pasado : 뵈 + 었어요 → 뵀어요
presente : 뵈 + 어요 → 봬요
futuro : 뵈 + ㄹ 거예요 → 뵐 거예요

(194) 부탁하다 [butakada]

pedir, reclamar, suplicar, implorar, rogar

Demandar o encargar a alguien que haga algo.

pasado : 부탁하 + 였어요 → 부탁했어요
presente : 부탁하 + 여요 → 부탁해요
futuro : 부탁하 + ㄹ 거예요 → 부탁할 거예요

(195) 사귀다 [sagwida]

juntarse, tratarse

Llevar a cabo una relación íntima tras conocerse.

pasado : 사귀 + 었어요 → 사귀었어요
presente : 사귀 + 어요 → 사귀어요
futuro : 사귀 + ㄹ 거예요 → 사귈 거예요

(196) 세배하다 [sebaehada]

inclinarse, saludar

En el día año nuevo, hacer una reverencia a los mayores en señal de respeto o saludo.

pasado : 세배하 + 였어요 → 세배했어요
presente : 세배하 + 여요 → 세배해요
futuro : 세배하 + ㄹ 거예요 → 세배할 거예요

(197) 소개하다 [sogaehada]

introducir

Hacer que personas ajenas se conozcan y desarrollen relaciones entre sí.

pasado : 소개하 + 였어요 → 소개했어요
presente : 소개하 + 여요 → 소개해요
futuro : 소개하 + ㄹ 거예요 → 소개할 거예요

(198) 신청하다 [sincheonghada]

solicitar, pedir, demandar

Pedir oficialmente a una organización o una institución que realice una determinada tarea.

pasado : 신청하 + 였어요 → 신청했어요
presente : 신청하 + 여요 → 신청해요
futuro : 신청하 + ㄹ 거예요 → 신청할 거예요

(199) 실례하다 [sillyehada]

descortesía, falta de cortesía, desatención, desconsideración

Acción de hablar o comportarse fuera de modales.

pasado : 실례하 + 였어요 → 실례했어요
presente : 실례하 + 여요 → 실례해요
futuro : 실례하 + ㄹ 거예요 → 실례할 거예요

(200) 싸우다 [ssauda]

pelear, luchar

Combatir para ganar con palabras o fuerzas.

pasado : 싸우 + 었어요 → 싸웠어요
presente : 싸우 + 어요 → 싸워요
futuro : 싸우 + ㄹ 거예요 → 싸울 거예요

(201) 안내하다 [annaehada]

informar, avisar, guiar

Informar o presentar algo.

pasado : 안내하 + 였어요 → 안내했어요
presente : 안내하 + 여요 → 안내해요
futuro : 안내하 + ㄹ 거예요 → 안내할 거예요

(202) 약속하다 [yaksokada]

prometer, comprometer

Decidir de antemano qué hacer con otra persona.

pasado : 약속하 + 였어요 → 약속했어요
presente : 약속하 + 여요 → 약속해요
futuro : 약속하 + ㄹ 거예요 → 약속할 거예요

(203) 얻다 [eotda]

conseguir, obtener

Tomar algo sin esfuerzo particular y sin costo.

pasado : 얻 + 었어요 → 얻었어요
presente : 얻 + 어요 → 얻어요
futuro : 얻 + 을 거예요 → 얻을 거예요

(204) 연락하다 [yeollakada]

avisar, notificar

Dar a conocer cierto hecho.

pasado : 연락하 + 였어요 → 연락했어요
presente : 연락하 + 여요 → 연락해요
futuro : 연락하 + ㄹ 거예요 → 연락할 거예요

(205) 이기다 [igida]

vencer, ganar

Obtener un mejor resultado derrotando al contrincante en una apuesta, competencia o pelea.

pasado : 이기 + 었어요 → 이겼어요
presente : 이기 + 어요 → 이겨요
futuro : 이기 + ㄹ 거예요 → 이길 거예요

(206) 인사하다 [insahada]

saludar

Mostrar cortesía al encontrarse o despedirse de alguien.

pasado : 인사하 + 였어요 → 인사했어요
presente : 인사하 + 여요 → 인사해요
futuro : 인사하 + ㄹ 거예요 → 인사할 거예요

(207) 전하다 [jeonhada]

dar, entregar, traspasar

Pasar algo a otra persona.

pasado : 전하 + 였어요 → 전했어요
presente : 전하 + 여요 → 전해요
futuro : 전하 + ㄹ 거예요 → 전할 거예요

(208) 정하다 [jeonghada]

decidir, determinar

Escoger uno entre varios.

pasado : 정하 + 였어요 → 정했어요
presente : 정하 + 여요 → 정해요
futuro : 정하 + ㄹ 거예요 → 정할 거예요

(209) 주다 [juda]

entregar, dar, ofrecer

Hacer que el otro utilice o posea un objeto.

pasado : 주 + 었어요 → 줬어요
presente : 주 + 어요 → 줘요
futuro : 주 + ㄹ 거예요 → 줄 거예요

(210) 지다 [jida]

sufrir una derrota, rendirse

En una competición deportiva o duelo, perder ante el oponente.

pasado : 지 + 었어요 → 졌어요
presente : 지 + 어요 → 져요
futuro : 지 + ㄹ 거예요 → 질 거예요

(211) 지키다 [jikida]

respetar

Seguir bien sin romper una promesa, ley, protocolo o normativa.

pasado : 지키 + 었어요 → 지켰어요
presente : 지키 + 어요 → 지켜요
futuro : 지키 + ㄹ 거예요 → 지킬 거예요

(212) 찾아가다 [chajagada]

ir a ver, buscar, ir en busca

Dirigirse a un lugar para encontrarse con alguien o para realizar un trabajo.

pasado : 찾아가 + 았어요 → 찾아갔어요
presente : 찾아가 + 아요 → 찾아가요
futuro : 찾아가 + ㄹ 거예요 → 찾아갈 거예요

(213) 찾아오다 [chajaoda]

venir, visitar

Encontrarse con personas o llegar a un lugar para realizar un trabajo.

pasado : 찾아오 + 았어요 → 찾아왔어요
presente : 찾아오 + 아요 → 찾아와요
futuro : 찾아오 + ㄹ 거예요 → 찾아올 거예요

(214) 초대하다 [chodaehada]

invitar

Comunicar a alguien el deseo de que asista o participe en una celebración, una reunión, o un acontecimiento.

pasado : 초대하 + 였어요 → 초대했어요
presente : 초대하 + 여요 → 초대해요
futuro : 초대하 + ㄹ 거예요 → 초대할 거예요

(215) 축하하다 [chukahada]

felicitar, festejar

Saludar con alegría un hecho bueno que le ha pasado a otra persona.

pasado : 축하하 + 였어요 → 축하했어요
presente : 축하하 + 여요 → 축하해요
futuro : 축하하 + ㄹ 거예요 → 축하할 거예요

(216) 취소하다 [chwisohada]

cancelar, anular, revocar

Retirar un anuncio ya realizado o suspender un hecho previsto o prometido.

pasado : 취소하 + 였어요 → 취소했어요
presente : 취소하 + 여요 → 취소해요
futuro : 취소하 + ㄹ 거예요 → 취소할 거예요

(217) 헤어지다 [heeojida]

despedirse, decir adiós

Alejarse de la persona que le hacía compañía.

pasado : 헤어지 + 었어요 → 헤어졌어요
presente : 헤어지 + 어요 → 헤어져요
futuro : 헤어지 + ㄹ 거예요 → 헤어질 거예요

(218) 환영하다 [hwanyeonghada]

dar la bienvenida

Recibir con mucho gusto y cordialidad a alguien que llega desde otro lugar.

pasado : 환영하 + 였어요 → 환영했어요
presente : 환영하 + 여요 → 환영해요
futuro : 환영하 + ㄹ 거예요 → 환영할 거예요

(219) 갈아타다 [garatada]

transbordar

Bajar de un medio de transporte para subir a otro.

pasado : 갈아타 + 았어요 → 갈아탔어요
presente : 갈아타 + 아요 → 갈아타요
futuro : 갈아타 + ㄹ 거예요 → 갈아탈 거예요

(220) 건너가다 [geonneogada]

cruzar

Ir de un lado a otro atravesando un río, puente o carretera.

pasado : 건너가 + 았어요 → 건너갔어요
presente : 건너가 + 아요 → 건너가요
futuro : 건너가 + ㄹ 거예요 → 건너갈 거예요

(221) 건너다 [geonneoda]

cruzar

Pasar o saltar por una cosa para trasladarse al otro lado.

pasado : 건너 + 었어요 → 건넜어요
presente : 건너 + 어요 → 건너요
futuro : 건너 + ㄹ 거예요 → 건널 거예요

(222) 내리다 [naerida]

bajarse, salirse, descenderse, apearse

Salir del vehículo o pararse en el suelo.

pasado : 내리 + 었어요 → 내렸어요
presente : 내리 + 어요 → 내려요
futuro : 내리 + ㄹ 거예요 → 내릴 거예요

(223) 도착하다 [dochakada]

llegar

Arribar a un determinado lugar.

pasado : 도착하 + 였어요 → 도착했어요
presente : 도착하 + 여요 → 도착해요
futuro : 도착하 + ㄹ 거예요 → 도착할 거예요

(224) 막히다 [makida]

congestionarse, embotellarse

Obstruirse o detenerse el paso por una aglomeración excesiva de vehículos.

pasado : 막히 + 었어요 → 막혔어요
presente : 막히 + 어요 → 막혀요
futuro : 막히 + ㄹ 거예요 → 막힐 거예요

(225) 안전하다 [anjeonhada]

seguro, salvo, sin peligro, sin riesgo, fiable

Que está libre de peligros o accidentes.

pasado : 안전하 + 였어요 → 안전했어요
presente : 안전하 + 여요 → 안전해요
futuro : 안전하 + ㄹ 거예요 → 안전할 거예요

(226) 운전하다 [unjeonhada]

conducir

Manejar maquinas o vehículos.

pasado : 운전하 + 였어요 → 운전했어요
presente : 운전하 + 여요 → 운전해요
futuro : 운전하 + ㄹ 거예요 → 운전할 거예요

(227) 위험하다 [wiheomhada]

peligroso

Que es inseguro con la posibilidad de un daño o un mal.

pasado : 위험하 + 였어요 → 위험했어요
presente : 위험하 + 여요 → 위험해요
futuro : 위험하 + ㄹ 거예요 → 위험할 거예요

(228) 주차하다 [juchahada]

estacionar, aparcar

Colocar el vehículo en determinado lugar.

pasado : 주차하 + 였어요 → 주차했어요
presente : 주차하 + 여요 → 주차해요
futuro : 주차하 + ㄹ 거예요 → 주차할 거예요

(229) 출발하다 [chulbalhada]

salir, partir

Partir hacia un destino.

pasado : 출발하 + 였어요 → 출발했어요
presente : 출발하 + 여요 → 출발해요
futuro : 출발하 + ㄹ 거예요 → 출발할 거예요

(230) 타다 [tada]

montar, subir, andar

Subir a algún juego o al cuerpo de un animal que se usa como transporte.

pasado : 타 + 았어요 → 탔어요
presente : 타 + 아요 → 타요
futuro : 타 + ㄹ 거예요 → 탈 거예요

(231) 출근하다 [chulgeunhada]

irse a trabajar, asistir al trabajo

Salir o ir a trabajar.

pasado : 출근하 + 였어요 → 출근했어요
presente : 출근하 + 여요 → 출근해요
futuro : 출근하 + ㄹ 거예요 → 출근할 거예요

(232) 출퇴근하다 [chultoegeunhada]

No hay expresión equivalente

Llegar al trabajo y salir del trabajo.

pasado : 출퇴근하 + 였어요 → 출퇴근했어요
presente : 출퇴근하 + 여요 → 출퇴근해요
futuro : 출퇴근하 + ㄹ 거예요 → 출퇴근할 거예요

(233) 취직하다 [chwijikada]

conseguir un empleo, ponerse a trabajar, ser contratado

Conseguir un trabajo permanente y comenzar a trabajar.

pasado : 취직하 + 였어요 → 취직했어요
presente : 취직하 + 여요 → 취직해요
futuro : 취직하 + ㄹ 거예요 → 취직할 거예요

(234) 퇴근하다 [toegeunhada]

retirarse del trabajo, salir de la oficina

Retirarse del trabajo para volver a casa.

pasado : 퇴근하 + 였어요 → 퇴근했어요
presente : 퇴근하 + 여요 → 퇴근해요
futuro : 퇴근하 + ㄹ 거예요 → 퇴근할 거예요

(235) 회의하다 [hoeuihada]

mantener una reunión, tener una conferencia

Reunirse varias personas para discutir sobre determinados temas.

pasado : 회의하 + 였어요 → 회의했어요
presente : 회의하 + 여요 → 회의해요
futuro : 회의하 + ㄹ 거예요 → 회의할 거예요

(236) 거짓말하다 [geojinmalhada]

mentir

Presentar como real algo que no lo es.

pasado : 거짓말하 + 였어요 → 거짓말했어요
presente : 거짓말하 + 여요 → 거짓말해요
futuro : 거짓말하 + ㄹ 거예요 → 거짓말할 거예요

(237) 농담하다 [nongdamhada]

bromear, chancear, hacer chistes

Burlarse o hacer reír a otra persona.

pasado : 농담하 + 였어요 → 농담했어요
presente : 농담하 + 여요 → 농담해요
futuro : 농담하 + ㄹ 거예요 → 농담할 거예요

(238) 대답하다 [daedapada]

responder

Contestar a lo que se pregunta o se pide.

pasado : 대답하 + 였어요 → 대답했어요
presente : 대답하 + 여요 → 대답해요
futuro : 대답하 + ㄹ 거예요 → 대답할 거예요

(239) 대화하다 [daehwahada]

conversar

Hablar con alguien mirándolo de frente.

pasado : 대화하 + 였어요 → 했어요
presente : 대화하 + 여요 → 해요
futuro : 대화하 + ㄹ 거예요 → 할 거예요

(240) 드리다 [deurida]

saludar al mayor

Expresar un saludo o dirigirse al superior o al mayor.

pasado : 드리 + 었어요 → 드렸어요
presente : 드리 + 어요 → 드려요
futuro : 드리 + ㄹ 거예요 → 드릴 거예요

(241) 말하다 [malhada]

decir

Expresar oralmente un pensamiento, un hecho, una sensación, etc.

pasado : 말하 + 였어요 → 말했어요
presente : 말하 + 여요 → 말해요
futuro : 말하 + ㄹ 거예요 → 말할 거예요

(242) 묻다 [mutda]

preguntar

Hacer preguntas a alguien exigiendo su respuesta o explicación.

pasado : 묻 + 었어요 → 물었어요
presente : 묻 + 어요 → 물어요
futuro : 묻 + 을 거예요 → 물을 거예요

(243) 물어보다 [mureoboda]

preguntar, consultar, averiguar

Preguntar para saber algo.

pasado : 물어보 + 았어요 → 물어봤어요
presente : 물어보 + 아요 → 물어봐요
futuro : 물어보 + ㄹ 거예요 → 물어볼 거예요

(244) 설명하다 [seolmyeonghada]

explicar

Exponer cualquier materia con palabras que la hagan más comprensible.

pasado : 설명하 + 였어요 → 설명했어요
presente : 설명하 + 여요 → 설명해요
futuro : 설명하 + ㄹ 거예요 → 설명할 거예요

(245) 쓰다 [sseuda]

escribir, anotar, apuntar

Escribir determinadas letras trazando caracteres en un papel con el uso de utensilios para escribir como lápiz, bolígrafo, etc.

pasado : 쓰 + 었어요 → 썼어요
presente : 쓰 + 어요 → 써요
futuro : 쓰 + ㄹ 거예요 → 쓸 거예요

(246) 얘기하다 [yaegihada]

dialogar, conversar

Intercambiar palabras con otra persona.

pasado : 얘기하 + 였어요 → 얘기했어요
presente : 얘기하 + 여요 → 얘기해요
futuro : 얘기하 + ㄹ 거예요 → 얘기할 거예요

(247) 읽다 [ikda]

leer

Saber el significado tras pasar la vista por lo escrito.

pasado : 읽 + 었어요 → 읽었어요
presente : 읽 + 어요 → 읽어요
futuro : 읽 + 을 거예요 → 읽을 거예요

(248) 질문하다 [jilmunhada]

preguntar, cuestionar

Interrogar algo que se desea saber o se desconoce.

pasado : 질문하 + 였어요 → 질문했어요
presente : 질문하 + 여요 → 질문해요
futuro : 질문하 + ㄹ 거예요 → 질문할 거예요

(249) 칭찬하다 [chingchanhada]

felicitar, halagar, elogiar

Expresar en palabras el sentimiento de grandiosidad sobre un punto bueno o un buen trabajo.

pasado : 칭찬하 + 였어요 → 칭찬했어요
presente : 칭찬하 + 여요 → 칭찬해요
futuro : 칭찬하 + ㄹ 거예요 → 칭찬할 거예요

(250) 끊다 [kkeunta]

cortar, desconectar

Dejar de intercambiar palabras o pensamientos por medio del teléfono o Internet.

pasado : 끊 + 었어요 → 끊었어요
presente : 끊 + 어요 → 끊어요
futuro : 끊 + 을 거예요 → 끊을 거예요

(251) 부치다 [buchida]

enviar, mandar

Mandar una carta, objeto, etc.

pasado : 부치 + 었어요 → 부쳤어요
presente : 부치 + 어요 → 부쳐요
futuro : 부치 + ㄹ 거예요 → 부칠 거예요

(252) 줄이다 [jurida]

reducir, acortar

Hacer que sea más pequeño que el original el largo, el ancho o el volumen de un objeto.

pasado : 줄이 + 었어요 → 줄였어요
presente : 줄이 + 어요 → 줄여요
futuro : 줄이 + ㄹ 거예요 → 줄일 거예요

(253) 줄다 [julda]

achicar, encoger

Hacerse más pequeño el largo, el ancho o el volumen de un objeto, respecto a su tamaño original.

pasado : 줄 + 었어요 → 줄었어요
presente : 줄 + 어요 → 줄어요
futuro : 줄 + ㄹ 거예요 → 줄 거예요

(254) 비다 [bida]

estar vacío

No haber nada o nadie en cierto espacio.

pasado : 비 + 었어요 → 비었어요
presente : 비 + 어요 → 비어요
futuro : 비 + ㄹ 거예요 → 빌 거예요

(255) 모자라다 [mojarada]

ser poco, faltar

Ser algo escaso en cantidad o número.

pasado : 모자라 + 았어요 → 모자랐어요
presente : 모자라 + 아요 → 모자라요
futuro : 모자라 + ㄹ 거예요 → 모자랄 거예요

(256) 늘다 [neulda]

aumentar, agrandar, extender, ampliar

Adquirir mayor extensión con respecto a sus dimensiones originales.

pasado : 늘 + 었어요 → 늘었어요
presente : 늘 + 어요 → 늘어요
futuro : 늘 + ㄹ 거예요 → 늘 거예요

(257) 남다 [namda]

quedar, sobrar

Quedar sobras por no utilizarse algo enteramente.

pasado : 남 + 았어요 → 남았어요
presente : 남 + 아요 → 남아요
futuro : 남 + 을 거예요 → 남을 거예요

(258) 남기다 [namgida]

quedarse, sobrarse

Dejar sobras de algo sin utilizarlo enteramente.

pasado : 남기 + 었어요 → 남겼어요
presente : 남기 + 어요 → 남겨요
futuro : 남기 + ㄹ 거예요 → 남길 거예요

(259) 오다 [oda]

azotar, arribar, llegar

Presentarse una ola de frío o lluvia o nieve.

pasado : 오 + 았어요 → 왔어요
presente : 오 + 아요 → 와요
futuro : 오 + ㄹ 거예요 → 올 거예요

(260) 불다 [bulda]

soplarse

Correr el viento hacia cierta dirección.

pasado : 불 + 었어요 → 불었어요
presente : 불 + 어요 → 불어요
futuro : 불 + ㄹ 거예요 → 불 거예요

(261) 내리다 [naerida]

caer, llover, nevar, rociar

Caer nieve, lluvia, etc.

pasado : 내리 + 었어요 → 내렸어요
presente : 내리 + 어요 → 내려요
futuro : 내리 + ㄹ 거예요 → 내릴 거예요

(262) 그치다 [geuchida]

pararse, cesarse, detenerse

Detener algún trabajo, movimiento, estado que se estaba realizando.

pasado : 그치 + 었어요 → 그쳤어요
presente : 그치 + 어요 → 그쳐요
futuro : 그치 + ㄹ 거예요 → 그칠 거예요

(263) 배우다 [baeuda]

aprender, asimilar

Adquirir nuevos conocimientos.

pasado : 배우 + 었어요 → 배웠어요
presente : 배우 + 어요 → 배워요
futuro : 배우 + ㄹ 거예요 → 배울 거예요

(264) 가르치다 [gareuchida]

Enseñar

Impartir conocimientos e instruir en tecnologías.

pasado : 가르치 + 었어요 → 가르쳤어요
presente : 가르치 + 어요 → 가르쳐요
futuro : 가르치 + ㄹ 거예요 → 가르칠 거예요

(265) 팔다 [palda]

vender

Entregar algún objeto o derecho o prestar algún servicio a cambio de dinero.

pasado : 팔 + 았어요 → 팔았어요
presente : 팔 + 아요 → 팔아요
futuro : 팔 + ㄹ 거예요 → 팔 거예요

(266) 팔리다 [pallida]

venderse

Entregarse algún objeto o derecho o prestarse algún servicio a cambio de dinero.

pasado : 팔리 + 었어요 → 팔렸어요
presente : 팔리 + 어요 → 팔려요
futuro : 팔리 + ㄹ 거예요 → 파릴 거예요

(267) 올리다 [ollida]

subir, elevar

Elevar o aumentar el precio, el valor numérico, la fuerza, etc.

pasado : 올리 + 었어요 → 올렸어요
presente : 올리 + 어요 → 올려요
futuro : 올리 + ㄹ 거예요 → 올릴 거예요

(268) 사다 [sada]

comprar, adquirir, obtener

Apoderarse de cierta cosa o derecho tras pagar el dinero.

pasado : 사 + 았어요 → 샀어요
presente : 사 + 아요 → 사요
futuro : 사 + ㄹ 거예요 → 살 거예요

(269) 빌리다 [billida]

pedir prestado, alquilar

Recibir algún bien o dinero de alguien para usarlo durante algún tiempo, y devolverlo y pagar un precio a cambio después.

pasado : 빌리 + 었어요 → 빌렸어요
presente : 빌리 + 어요 → 빌려요
futuro : 빌리 + ㄹ 거예요 → 빌릴 거예요

(270) 벌다 [beolda]

ganar, ahorrar, obtener

Obtener o ahorrar dinero tras trabajar.

pasado : 벌 + 었어요 → 벌었어요
presente : 벌 + 어요 → 벌어요
futuro : 벌 + ㄹ 거예요 → 벌 거예요

(271) 들다 [deulda]

gastar, costar

Consumir dinero, tiempo, esfuerzos, etc. para conseguir algún fin.

pasado : 들 + 었어요 → 들었어요
presente : 들 + 어요 → 들어요
futuro : 들 + ㄹ 거예요 → 들 거예요

(272) 깎다 [kkakda]

rebajar, reducir, bajar

Bajar el precio, suma, límite, etc.

pasado : 깎 + 았어요 → 깎았어요
presente : 깎 + 아요 → 깎아요
futuro : 깎 + 을 거예요 → 깎을 거예요

(273) 갚다 [gapda]

reembolsar

Devolver lo prestado.

pasado : 갚 + 았어요 → 갚았어요
presente : 갚 + 아요 → 갚아요
futuro : 갚 + 을 거예요 → 갚을 거예요

(274) 통화하다 [tonghwahada]

hablar por teléfono

Hablar por teléfono.

pasado : 통화하 + 였어요 → 통화했어요
presente : 통화하 + 여요 → 통화해요
futuro : 통화하 + ㄹ 거예요 → 통화할 거예요

(275) 교환하다 [gyohwanhada]

canjear

Dar o recibir una cosa por otra que la sustituya.

pasado : 교환하 + 였어요 → 교환했어요
presente : 교환하 + 여요 → 교환해요
futuro : 교환하 + ㄹ 거예요 → 교환할 거예요

(276) 배달하다 [baedalhada]

repartir, distribuir, servir a domicilio

Llevar a alguien postales, objetos, alimentos, etc.

pasado : 배달하 + 였어요 → 배달했어요
presente : 배달하 + 여요 → 배달해요
futuro : 배달하 + ㄹ 거예요 → 배달할 거예요

(277) 선택하다 [seontaekada]

seleccionar

Elegir una cosa entre otras por considerarla más necesaria.

pasado : 선택하 + 였어요 → 선택했어요
presente : 선택하 + 여요 → 선택해요
futuro : 선택하 + ㄹ 거예요 → 선택할 거예요

(278) 할인하다 [harinhada]

dar un descuento, rebajar

Restar cierta cantidad de dinero de su precio original.

pasado : 할인하 + 였어요 → 할인했어요
presente : 할인하 + 여요 → 할인해요
futuro : 할인하 + ㄹ 거예요 → 할인할 거예요

(279) 환전하다 [hwanjeonhada]

cambiar

Cambiar la moneda de un país por la de otro.

pasado : 환전하 + 였어요 → 환전했어요
presente : 환전하 + 여요 → 환전해요
futuro : 환전하 + ㄹ 거예요 → 환전할 거예요

(280) 결석하다 [gyeolseokada]

faltar

No presentarse a un evento oficial, escolar o cualquier otro tipo de reunión.

pasado : 결석하 + 였어요 → 결석했어요
presente : 결석하 + 여요 → 결석해요
futuro : 결석하 + ㄹ 거예요 → 결석할 거예요

(281) 공부하다 [gongbuhada]

estudiar

Adquirir un conocimiento o una técnica mediante el estudio.

pasado : 공부하 + 였어요 → 공부했어요
presente : 공부하 + 여요 → 공부해요
futuro : 공부하 + ㄹ 거예요 → 공부할 거예요

(282) 교육하다 [gyoyukada]

educar

Instruir en conocimientos o técnicas para el desarrollo o el perfeccionamiento de las capacidades individuales.

pasado : 교육하 + 였어요 → 교육했어요
presente : 교육하 + 여요 → 교육해요
futuro : 교육하 + ㄹ 거예요 → 교육할 거예요

(283) 복습하다 [bokseupada]

repasar, revisar, releer

Estudiar de nuevo lo aprendido.

pasado : 복습하 + 였어요 → 복습했어요
presente : 복습하 + 여요 → 복습해요
futuro : 복습하 + ㄹ 거예요 → 복습할 거예요

(284) 숙제하다 [sukjehada]

hacer el trabajo escolar, hacer la tarea, hacer los deberes

Hacer el trabajo que dan a los alumnos en el colegio para que lo hagan después de las clases, repasando lo aprendido y preparando lo que se va a aprender.

pasado : 숙제하 + 였어요 → 숙제했어요
presente : 숙제하 + 여요 → 숙제해요
futuro : 숙제하 + ㄹ 거예요 → 숙제할 거예요

(285) 연습하다 [yeonseupada]

ensayar

Aprender repitiendo algo como si lo hiciera realmente.

pasado : 연습하 + 였어요 → 연습했어요
presente : 연습하 + 여요 → 연습해요
futuro : 연습하 + ㄹ 거예요 → 연습할 거예요

(286) 예습하다 [yeseupada]

preparar, repasar

Estudiar de antemano lo que se va a aprender en el futuro.

pasado : 예습하 + 였어요 → 예습했어요
presente : 예습하 + 여요 → 예습해요
futuro : 예습하 + ㄹ 거예요 → 예습할 거예요

(287) 입학하다 [ipakada]

ingresar

Entrar en la escuela para que sea un estudiante y estudiar en ella.

pasado : 입학하 + 였어요 → 입학했어요
presente : 입학하 + 여요 → 입학해요
futuro : 입학하 + ㄹ 거예요 → 입학할 거예요

(288) 졸업하다 [joreopada]

graduarse

Terminar todo el currículo académico designado por la escuela.

pasado : 졸업하 + 였어요 → 졸업했어요
presente : 졸업하 + 여요 → 졸업해요
futuro : 졸업하 + ㄹ 거예요 → 졸업할 거예요

(289) 지각하다 [jigakada]

llegar tarde

Ir al trabajo o al colegio más tarde de la hora establecida.

pasado : 지각하 + 였어요 → 지각했어요
presente : 지각하 + 여요 → 지각해요
futuro : 지각하 + ㄹ 거예요 → 지각할 거예요

(290) 출석하다 [chulseokada]

tomar lista

Participar en una clase o una reunión.

pasado : 출석하 + 였어요 → 출석했어요
presente : 출석하 + 여요 → 출석해요
futuro : 출석하 + ㄹ 거예요 → 출석할 거예요

한국어(idioma coreano)

형용사(adjetivo) 137

(1) 고프다 [gopeuda]

hambriento

Con deseos de comer porque tiene el estómago vacío.

배가 고파요.

baega gopayo.

배+가 고프(고ㅍ)+아요.

고파요

배 : panza

가 : Posposición que se usa para indicar el objeto de cierto estado o situación o el agente de un movimiento.

고프다 : hambriento

-아요 : (TRATAMIENTO HONORÍFICO GENERAL) Desinencia de terminación que se usa cuando se describe cierto hecho; o pregunta, ordena o reclama algo. <narración>

(2) 부르다 [bureuda]

lleno, saciado

Que tiene el estómago lleno y el hambre saciada.

배가 불러요.

baega bulleoyo.

배+가 부르(불ㄹ)+어요.

불러요

배 : panza

가 : Posposición que se usa para indicar el objeto de cierto estado o situación o el agente de un movimiento.

부르다 : lleno, saciado

-어요 : (TRATAMIENTO HONORÍFICO GENERAL) Desinencia de terminación que se usa cuando se describe cierto hecho; o pregunta, ordena o reclama algo. <narración>

(3) 아프다 [apeuda]

doloroso, dolorido

Que siente dolor y aflicción por lastimarse o padecer una enfermedad.

목이 <u>아파요</u>.

mogi apayo.

목+이 <u>아프(아ㅍ)+아요</u>.
아파요

목 : cuello
이 : Posposición que se usa para indicar el objeto de cierto estado o situación o el agente de un movimiento.
아프다 : doloroso, dolorido
-아요 : (TRATAMIENTO HONORÍFICO GENERAL) Desinencia de terminación que se usa cuando se describe cierto hecho; o pregunta, ordena o reclama algo. <narración>

(4) 고맙다 [gomapda]

agradecido

Que está satisfecho uno porque otra persona hizo algo para él y desea devolverle el favor.

도와줘서 <u>고마워요</u>.

dowajwoseo gomawoyo.

도와주+어서 <u>고맙(고마우)+어요</u>.
고마워요

도와주다 : ayudar
-어서 : Desinencia conectora que se usa para indicar causa o fundamento.
고맙다 : agradecido
-어요 : (TRATAMIENTO HONORÍFICO GENERAL) Desinencia de terminación que se usa cuando se describe cierto hecho; o pregunta, ordena o reclama algo. <narración>

(5) 괜찮다 [gwaenchanta]

bastante bueno, no malo, satisfactorio

Bastante bueno.

맛이 괜찮아요.

masi gwaenchanayo.

맛+이 괜찮+아요.

맛 : sabor, gusto
이 : Posposición que se usa para indicar el objeto de cierto estado o situación o el agente de un movimiento.
괜찮다 : bastante bueno, no malo, satisfactorio
-아요 : (TRATAMIENTO HONORÍFICO GENERAL) Desinencia de terminación que se usa cuando se describe cierto hecho; o pregunta, ordena o reclama algo. <narración>

(6) 귀엽다 [gwiyeopda]

bonito, mono, bello, adorable

Que tiene una apariencia bella y adorable.

얼굴이 귀여워요.

eolguri gwiyeowoyo.

얼굴+이 귀엽(귀여우)+어요.
귀여워요

얼굴 : rostro, cara
이 : Posposición que se usa para indicar el objeto de cierto estado o situación o el agente de un movimiento.
귀엽다 : bonito, mono, bello, adorable
-어요 : (TRATAMIENTO HONORÍFICO GENERAL) Desinencia de terminación que se usa cuando se describe cierto hecho; o pregunta, ordena o reclama algo. <narración>

(7) 귀찮다 [gwichanta]

fastidioso, molesto, tedioso

Que fastidia y molesta.

씻기가 <u>귀찮아요</u>.
ssitgiga gwichanayo.

씻+기+가 귀찮+아요.

씻다 : lavar, limpiar
-기 : Desinencia que se usa cuando la palabra anterior ejerce la función del sustantivo.
가 : Posposición que se usa para indicar el objeto de cierto estado o situación o el agente de un movimiento.
귀찮다 : fastidioso, molesto, tedioso
-아요 : (TRATAMIENTO HONORÍFICO GENERAL) Desinencia de terminación que se usa cuando se describe cierto hecho; o pregunta, ordena o reclama algo. <narración>

(8) 그립다 [geuripda]

echado de menos, extrañado

Que se echa de menos a alguien y se siente su falta.

가족이 <u>그리워요</u>.
gajogi geuriwoyo.

가족+이 <u>그립(그리우)+어요</u>.
그리워요

가족 : familia
이 : Posposición que se usa para indicar el objeto de cierto estado o situación o el agente de un movimiento.
그립다 : echado de menos, extrañado
-어요 : (TRATAMIENTO HONORÍFICO GENERAL) Desinencia de terminación que se usa cuando se describe cierto hecho; o pregunta, ordena o reclama algo. <narración>

(9) 기쁘다 [gippeuda]

feliz, alegre, contento

Alborozado, animado. Que está de muy buen humor.

시험에 합격해서 <u>기뻐요</u>.

siheome hapgyeokaeseo gippeoyo.

시험+에 합격하+여서 <u>기쁘(기ㅃ)+어요</u>.

기뻐요

시험 : examen, prueba

에 : Posposición que se usa cuando la palabra anterior es objeto de cierta acción, sentimiento, etc.

합격하다 : aprobar, pasar

-여서 : Desinencia conectora que se usa para indicar causa o fundamento.

기쁘다 : feliz, alegre, contento

-어요 : (TRATAMIENTO HONORÍFICO GENERAL) Desinencia de terminación que se usa cuando se describe cierto hecho; o pregunta, ordena o reclama algo. <narración>

(10) 답답하다 [dapdapada]

sofocante

Asfixiante e irrespirable.

가슴이 <u>답답해요</u>.

gaseumi dapdapaeyo.

가슴+이 <u>답답하+여요</u>.

답답해요

가슴 : corazón

이 : Posposición que se usa para indicar el objeto de cierto estado o situación o el agente de un movimiento.

답답하다 : sofocante

-여요 : (TRATAMIENTO HONORÍFICO GENERAL) Desinencia de terminación que se usa cuando se describe cierto hecho; o pregunta, ordena o reclama algo. <narración>

(11) 무섭다 [museopda]

temeroso, miedoso

Que tiene miedo a alguien o algo, o teme que suceda algún siniestro.

귀신이 <u>무서워요</u>.
gwisini museowoyo.

귀신+이 <u>무섭(무서우)+어요</u>.
무서워요

귀신 : fantasma, espíritu
이 : Posposición que se usa para indicar el objeto de cierto estado o situación o el agente de un movimiento.
무섭다 : temeroso, miedoso
-어요 : (TRATAMIENTO HONORÍFICO GENERAL) Desinencia de terminación que se usa cuando se describe cierto hecho; o pregunta, ordena o reclama algo. <narración>

(12) 반갑다 [bangapda]

contento, satisfecho, alegre, feliz

Que siente alegría y felicidad por ver a alguien que echaba de menos o cumplir un deseo.

만나게 되어 <u>반가워요</u>.
mannage doeeo bangawoyo.

만나+[게 되]+어 <u>반갑(반가우)+어요</u>.
반가워요

만나다 : encontrarse
-게 되다 : Expresión que se usa para mostrar se ha llegado a un estado o una situación descrita previamente.
-어 : Desinencia conectora que se usa cuando la palabra anterior es la causa o la razón de la palabra posterior.
반갑다 : contento, satisfecho, alegre, feliz
-어요 : (TRATAMIENTO HONORÍFICO GENERAL) Desinencia de terminación que se usa cuando se describe cierto hecho; o pregunta, ordena o reclama algo. <narración>

(13) 부끄럽다 [bukkeureopda]

tímido, introvertido, vergonzoso

Que tiene vergüenza o timidez.

칭찬해 주시니 부끄러워요.
chingchanhae jusini bukkeureowoyo.

칭찬하+[여 주]+시+니 부끄럽(부끄러우)+어요.
칭찬해 주시니 부끄러워요

칭찬하다 : felicitar, halagar, elogiar
-여 주다 : Expresión que indica la realización de una acción que indica el comentario anterior para el bien del otro.
-시- : Desinencia que se usa para dar un tratamiento honorífico al agente de una acción verbal o de un determinado estado.
-니 : Desinencia conectora que se usa cuando la palabra anterior es una causa, fundamento o premisa de la palabra posterior.
부끄럽다 : tímido, introvertido, vergonzoso
-어요 : (TRATAMIENTO HONORÍFICO GENERAL) Desinencia de terminación que se usa cuando se describe cierto hecho; o pregunta, ordena o reclama algo. <narración>

(14) 부럽다 [bureopda]

envidioso, celoso

Que siente interés por algo que pertenece a otra persona y piensa que le gustaría conseguirlo también.

한국어 잘하는 사람이 부러워요.
hangugeo jalhaneun sarami bureowoyo.

한국어 잘하+는 사람+이 부럽(부러우)+어요.
부러워요

한국어 : idioma coreano, lengua coreana
잘하다 : hacer bien
-는 : Desinencia que hace que la palabra antecedente ejerza la función de un componente determinante, e indica que un suceso o una acción se produce en el presente.
사람 : persona, hombre, ser humano

이 : Posposición que se usa para indicar el objeto de cierto estado o situación o el agente de un movimiento.
부럽다 : envidioso, celoso
-어요 : (TRATAMIENTO HONORÍFICO GENERAL) Desinencia de terminación que se usa cuando se describe cierto hecho; o pregunta, ordena o reclama algo. <narración>

(15) 불쌍하다 [bulssanghada]

pobre, infortunado, miserable, infeliz

Que mueve a compasión y tristeza con su miserable estado o condición.

주인을 잃은 강아지가 불쌍해요.
juineul ireun gangajiga bulssanghaeyo.

주인+을 잃+은 강아지+가 불쌍하+여요.
불쌍해요

주인 : dueño, propietario
을 : Posposición que se usa para indicar el objeto que ha sido influido directamente por una acción.
잃다 : perder
-은 : Desinencia que hace que la palabra antecedente ejerza la función de un componente determinante, e indica que una acción se mantiene en el mismo estado que cuando concluyó en un momento del pasado.
강아지 : perrito, cachorro
가 : Posposición que se usa para indicar el objeto de cierto estado o situación o el agente de un movimiento.
불쌍하다 : pobre, infortunado, miserable, infeliz
-여요 : (TRATAMIENTO HONORÍFICO GENERAL) Desinencia de terminación que se usa cuando se describe cierto hecho; o pregunta, ordena o reclama algo. <narración>

(16) 섭섭하다 [seopseopada]

triste

Que se siente tristeza o lástima.

선생님과 헤어지기가 섭섭해요.
seonsaengnimgwa heeojigiga seopseopaeyo.

선생님+과 헤어지+기+가 섭섭하+여요.
섭섭해요

선생님 : profesor
과 : Posposición que indica que el referente es el objeto de una acción.
헤어지다 : despedirse, decir adiós
-기 : Desinencia que se usa cuando la palabra anterior ejerce la función del sustantivo.
가 : Posposición que se usa para indicar el objeto de cierto estado o situación o el agente de un movimiento.
섭섭하다 : triste
-여요 : (TRATAMIENTO HONORÍFICO GENERAL) Desinencia de terminación que se usa cuando se describe cierto hecho; o pregunta, ordena o reclama algo. <narración>

(17) 소중하다 [sojunghada]

importante, precioso, cuidadoso, cariñoso

Que tiene importancia.

가족이 가장 소중해요.
gajogi gajang sojunghaeyo.

가족+이 가장 소중하+여요.
소중해요

가족 : familia
이 : Posposición que se usa para indicar el objeto de cierto estado o situación o el agente de un movimiento.
가장 : el más, el mejor
소중하다 : importante, precioso, cuidadoso, cariñoso
-여요 : (TRATAMIENTO HONORÍFICO GENERAL) Desinencia de terminación que se usa cuando se describe cierto hecho; o pregunta, ordena o reclama algo. <narración>

(18) 슬프다 [seulpeuda]

triste, afligido, apenado, entristecido

Que le duele y le aflige como para soltar lágrimas.

영화의 내용이 슬퍼요.
yeonghwae naeyongi seulpeoyo.

영화+의 내용+이 슬프(슬ㅍ)+어요.
슬퍼요

영화 : película, cinematografía
의 : Posposición que se usa para indicar que la palabra anterior tiene una relación de posesión, pertenencia, integración, conexión, procedencia, sujeto con la posterior.
내용 : Contenido
이 : Posposición que se usa para indicar el objeto de cierto estado o situación o el agente de un movimiento.
슬프다 : triste, afligido, apenado, entristecido
-어요 : (TRATAMIENTO HONORÍFICO GENERAL) Desinencia de terminación que se usa cuando se describe cierto hecho; o pregunta, ordena o reclama algo. <narración>

(19) 시원하다 [siwonhada]

fresco

Que hace moderadamente fresco sin hacer calor o frío.

바람이 시원해요.
barami siwonhaeyo.

바람+이 시원하+여요.
시원해요

바람 : viento
이 : Posposición que se usa para indicar el objeto de cierto estado o situación o el agente de un movimiento.
시원하다 : fresco
-여요 : (TRATAMIENTO HONORÍFICO GENERAL) Desinencia de terminación que se usa cuando se describe cierto hecho; o pregunta, ordena o reclama algo. <narración>

(20) 싫다 [silta]

desagradable, de disgustar

Que no agrada.

매운 음식이 싫어요.
maeun eumsigi sireoyo.

맵(매우)+ㄴ 음식+이 싫+어요.
매운

맵다 : picante, acre
-ㄴ : Desinencia que hace que la palabra antecedente ejerza la función de una palabra determinante, e indica el estado del presente.
음식 : alimento, comida
이 : Posposición que se usa para indicar el objeto de cierto estado o situación o el agente de un movimiento.
싫다 : desagradable, de disgustar
-어요 : (TRATAMIENTO HONORÍFICO GENERAL) Desinencia de terminación que se usa cuando se describe cierto hecho; o pregunta, ordena o reclama algo. <narración>

(21) 외롭다 [oeropda]

solitario

Que se siente solo por no tener compañía o en quien depender.

지금 몹시 외로워요.
jigeum mopsi oerowoyo.

지금 몹시 외롭(외로우)+어요.
외로워요

지금 : ahora
몹시 : muy, mucho, extremadamente, severamente, sumamente, excesivamente
외롭다 : solitario
-어요 : (TRATAMIENTO HONORÍFICO GENERAL) Desinencia de terminación que se usa cuando se describe cierto hecho; o pregunta, ordena o reclama algo. <narración>

(22) 좋다 [jota]

bueno, conforme

Que es capaz de satisfacer por la excelencia del contenido o la cualidad.

이 물건은 품질이 좋아요.
i mulgeoneun pumjiri joayo.

이 물건+은 품질+이 좋+아요.

이 : este
물건 : objeto
은 : Posposición que se usa para indicar que cierto objeto es tópico en la oración.
품질 : calidad
이 : Posposición que se usa para indicar el objeto de cierto estado o situación o el agente de un movimiento.
좋다 : bueno, conforme
-아요 : (TRATAMIENTO HONORÍFICO GENERAL) Desinencia de terminación que se usa cuando se describe cierto hecho; o pregunta, ordena o reclama algo. <narración>

(23) 죄송하다 [joesonghada]

sentir pena, sentir lamento

Que lamenta mucho como si hubiera cometido un crimen.

늦어서 죄송해요.
neujeoseo joesonghaeyo.

늦+어서 죄송하+여요.
죄송해요

늦다 : tardar, retrasar, atrasar
-어서 : Desinencia conectora que se usa para indicar causa o fundamento.
죄송하다 : sentir pena, sentir lamento
-여요 : (TRATAMIENTO HONORÍFICO GENERAL) Desinencia de terminación que se usa cuando se describe cierto hecho; o pregunta, ordena o reclama algo. <narración>

(24) 즐겁다 [jeulgeopda]

alegre, contento, feliz

Que está feliz y con placer por satisfacción.

여행은 언제나 즐거워요.
yeohaengeun eonjena jeulgeowoyo.

여행+은 언제나 즐겁(즐거우)+어요.
즐거워요

여행 : viaje, visita, paseo, recorrido, excursión, expedición, gira
은 : Posposición que se usa para indicar que cierto objeto es tópico en la oración.
언제나 : siempre
즐겁다 : alegre, contento, feliz
-어요 : (TRATAMIENTO HONORÍFICO GENERAL) Desinencia de terminación que se usa cuando se describe cierto hecho; o pregunta, ordena o reclama algo. <narración>

(25) 급하다 [geupada]

urgente, apremiante

Que está en una situación o circunstancia apremiante, que requiere de una pronta solución.

갑자기 급한 일이 생겼어요.
gapjagi geupan iri saenggyeosseoyo.

갑자기 급하+ㄴ 일+이 생기+었+어요.
급한 생겼어요

갑자기 : de repente, repentinamente, de golpe, de pronto, súbitamente
급하다 : urgente, apremiante
-ㄴ : Desinencia que hace que la palabra antecedente ejerza la función de una palabra determinante, e indica el estado del presente.
일 : asunto
이 : Posposición que se usa para indicar el objeto de cierto estado o situación o el agente de un movimiento.
생기다 : ocasionarse, provocarse, resultarse, originarse, sucederse
-었- : Desinencia que se usa cuando cierto suceso fue acabado en el pasado o cuando el resultado de ese suceso continúa hasta el presente.
-어요 : (TRATAMIENTO HONORÍFICO GENERAL) Desinencia de terminación que se usa cuando se describe cierto hecho; o pregunta, ordena o reclama algo. <narración>

(26) 조용하다 [joyonghada]

silencioso, calmo, tranquilo, sereno

Que habla poco y tiene una actitud apacible.

도서관에서는 조용하게 말하세요.

doseogwaneseoneun joyonghage malhaseyo.

도서관+에서+는 조용하+게 말하+세요.

도서관 : biblioteca
에서 : Posposición que se usa para indicar el lugar en el que se realiza la acción de la palabra anterior.
는 : Posposición que muestra que el referente es el tópico de una oración.
조용하다 : silencioso, calmo, tranquilo, sereno
-게 : Desinencia conectora que se usa cuando la palabra anterior es el objetivo, resultado, método, grado, etc. que indica al posterior.
말하다 : decir
-세요 : (TRATAMIENTO HONORÍFICO GENERAL) Desinencia de terminación que se usa cuando se manifiesta el sentido de explicación, duda, orden, reclamación, etc. <orden>

(27) 곧다 [gotda]

derecho, recto

Dícese de un camino, línea o postura, derecho sin curvas.‘

허리를 곧게 펴세요.

heorireul gotge pyeoseyo.

허리+를 곧+게 펴+세요.

허리 : cintura
를 : Posposición que indica el objeto que influye directamente en la acción.
곧다 : derecho, recto
-게 : Desinencia conectora que se usa cuando la palabra anterior es el objetivo, resultado, método, grado, etc. que indica al posterior.
펴다 : enderezar, abrir
-세요 : (TRATAMIENTO HONORÍFICO GENERAL) Desinencia de terminación que se usa cuando se manifiesta el sentido de explicación, duda, orden, reclamación, etc. <orden>

(28) 까다롭다 [kkadaropda]

complicado, enredado

Que tiene condiciones o formas complejas, estrictas y difíciles.

이 문제는 까다로워요.

i munjeneun kkadarowoyo.

이 문제+는 까다롭(까다로우)+어요.

까따로워요

이 : este

문제 : pregunta, incógnita

는 : Posposición que se usa para indicar que cierto objeto es tópico en la oración.

까다롭다 : complicado, enredado

-어요 : (TRATAMIENTO HONORÍFICO GENERAL) Desinencia de terminación que se usa cuando se describe cierto hecho; o pregunta, ordena o reclama algo. <narración>

(29) 깔끔하다 [kkalkkeumhada]

aseado, pulcro, bonito, arreglado

Que tiene una apariencia pulcra y aseada.

방이 아주 깔끔해요.

bangi aju kkalkkeumhaeyo.

방+이 아주 깔끔하+여요.

깔끔해요

방 : habitación, cuarto

이 : Posposición que se usa para indicar el objeto de cierto estado o situación o el agente de un movimiento.

아주 : muy, mucho, completamente, totalmente

깔끔하다 : aseado, pulcro, bonito, arreglado

-여요 : (TRATAMIENTO HONORÍFICO GENERAL) Desinencia de terminación que se usa cuando se describe cierto hecho; o pregunta, ordena o reclama algo. <narración>

(30) 냉정하다 [naengjeonghada]

fríamente, apáticamente

Con frialdad y sin sentimientos.

성격이 냉정해요.

seonggyeogi naengjeonghaeyo.

성격+이 냉정하+여요.

냉정해요

성격 : carácter

이 : Posposición que se usa para indicar el objeto de cierto estado o situación o el agente de un movimiento.

냉정하다 : fríamente, apáticamente

-여요 : (TRATAMIENTO HONORÍFICO GENERAL) Desinencia de terminación que se usa cuando se describe cierto hecho; o pregunta, ordena o reclama algo. <narración>

(31) 너그럽다 [neogeureopda]

generoso, misericordioso

Que es muy compasivo con otros y obra con magnanimidad.

마음이 너그러워요.

maeumi neogeureowoyo.

마음+이 너그럽(너그러우)+어요.

너그러워요

마음 : Emoción o sentimiento.

이 : Posposición que se usa para indicar el objeto de cierto estado o situación o el agente de un movimiento.

너그럽다 : generoso, misericordioso

-어요 : (TRATAMIENTO HONORÍFICO GENERAL) Desinencia de terminación que se usa cuando se describe cierto hecho; o pregunta, ordena o reclama algo. <narración>

(32) 느긋하다 [neugeutada]

tranquilo, paciente, sereno

Que tiene tranquilidad sin darse prisa.

숙제를 끝내서 마음이 느긋해요.

sukjereul kkeunnaeseo maeumi neugeutaeyo.

숙제+를 끝내+어서 마음+이 느긋하+여요.
끝내서 느긋해요

숙제 : trabajo escolar, tarea, deberes
를 : Posposición que indica el objeto que influye directamente en la acción.
끝내다 : acabar, terminar, concluir, finiquitar, coronar, finalizar, cerrarse
-어서 : Desinencia conectora que se usa para indicar causa o fundamento.
마음 : Emoción o sentimiento.
이 : Posposición que se usa para indicar el objeto de cierto estado o situación o el agente de un movimiento.
느긋하다 : tranquilo, paciente, sereno
-여요 : (TRATAMIENTO HONORÍFICO GENERAL) Desinencia de terminación que se usa cuando se describe cierto hecho; o pregunta, ordena o reclama algo. <narración>

(33) 다정하다 [dajeonghada]

cariñoso, afable, atento Cálido y de buen corazón

Cálido y de buen corazón.

아버지는 가족들에게 무척 다정해요.

abeojineun gajokdeurege mucheok dajeonghaeyo.

아버지+는 가족+들+에게 무척 다정하+여요.
다정해요

아버지 : padre
는 : Posposición que se usa para indicar que cierto objeto es tópico en la oración.
가족 : familia
들 : Sufijo que añade el significado de ′plural′.
에게 : Posposición que indica ser un objeto influyente de cierta acción.
무척 : demasía, extremo, sumo

다정하다 : cariñoso, afable, atento Cálido y de buen corazón
-여요 : (TRATAMIENTO HONORÍFICO GENERAL) Desinencia de terminación que se usa cuando se describe cierto hecho; o pregunta, ordena o reclama algo. <narración>

(34) 못되다 [motdoeda]

malo, maligno, malévolo

Que muestra un temperamento o un comportamiento inmoral y maligno.

동생은 못된 버릇이 있어요.
dongsaengeun motdoen beoreusi isseoyo.

동생+은 못되+ㄴ 버릇+이 있+어요.
못된

동생 : dongsaeng, hermano menor
은 : Posposición que se usa para indicar que cierto objeto es tópico en la oración.
못되다 : malo, maligno, malévolo
-ㄴ : Desinencia que hace que la palabra antecedente ejerza la función de una palabra determinante, e indica el estado del presente.
버릇 : costumbre, hábito
이 : Posposición que se usa para indicar el objeto de cierto estado o situación o el agente de un movimiento.
있다 : existente, disponible, capacitado
-어요 : (TRATAMIENTO HONORÍFICO GENERAL) Desinencia de terminación que se usa cuando se describe cierto hecho; o pregunta, ordena o reclama algo. <narración>

(35) 변덕스럽다 [byeondeokseureopda]

caprichoso, antojadizo, voluble

Inconsistente y mudable en su forma de hablar, actuar o expresar emociones.

요즘 날씨가 변덕스러워요.
yojeum nalssiga byeondeokseureowoyo.

요즘 날씨+가 변덕스럽(변덕스러우)+어요.
변덕스러워요

요즘 : estos días
날씨 : tiempo
가 : Posposición que se usa para indicar el objeto de cierto estado o situación o el agente de un movimiento.
변덕스럽다 : caprichoso, antojadizo, voluble
-어요 : (TRATAMIENTO HONORÍFICO GENERAL) Desinencia de terminación que se usa cuando se describe cierto hecho; o pregunta, ordena o reclama algo. <narración>

(36) 솔직하다 [soljikada]

franco, llano, abierto

Que no hay falsedad o engaño.

묻는 말에 솔직하게 대답하세요.
munneun mare soljikage daedapaseyo.

묻+는 말+에 솔직하+게 대답하+세요.

묻다 : preguntar
-는 : Desinencia que hace que la palabra antecedente ejerza la función de un componente determinante, e indica que un suceso o una acción se produce en el presente.
말 : Actitud o acción que expresa y transmite un pensamiento o un sentimiento.
에 : Posposición que se usa cuando la palabra anterior es objeto de cierta acción, sentimiento, etc.
솔직하다 : franco, llano, abierto
-게 : Desinencia conectora que se usa cuando la palabra anterior es el objetivo, resultado, método, grado, etc. que indica al posterior.
대답하다 : responder
-세요 : (TRATAMIENTO HONORÍFICO GENERAL) Desinencia de terminación que se usa cuando se manifiesta el sentido de explicación, duda, orden, reclamación, etc. <orden>

(37) 순수하다 [sunsuhada]

inocente, sencillo, cándido, candoroso, ingenuo

Que no tiene codicia personal o malicia.

순수하게 세상을 살고 싶어요.
sunsuhage sesangeul salgo sipeoyo.

순수하+게 세상+을 살+[고 싶]+어요.

순수하다 : inocente, sencillo, cándido, candoroso, ingenuo
-게 : Desinencia conectora que se usa cuando la palabra anterior es el objetivo, resultado, método, grado, etc. que indica al posterior.
세상 : mundo
을 : Posposición que se usa para indicar el objeto que ha sido influido directamente por una acción.
살다 : vivir
-고 싶다 : Expresión que se usa para mostrar el deseo de hacer un acto que representa el comentario anterior de la cláusula.
-어요 : (TRATAMIENTO HONORÍFICO GENERAL) Desinencia de terminación que se usa cuando se describe cierto hecho; o pregunta, ordena o reclama algo. <narración>

(38) 순진하다 [sunjinhada]

inocente, cándido, candoroso, ingenuo, inocuo

Que es sincero e ingenuo.

그 사람은 어린아이처럼 순진해요.
geu sarameun eorinaicheoreom sunjinhaeyo.

그 사람+은 어린아이+처럼 순진하+여요.
순진해요

그 : ese
사람 : persona, hombre, ser humano
은 : Posposición que se usa para indicar que cierto objeto es tópico en la oración.
어린아이 : niño de poca edad
처럼 : Posposición que representa igualdad o similitud de la forma o de un estado.
순진하다 : inocente, cándido, candoroso, ingenuo, inocuo
-여요 : (TRATAMIENTO HONORÍFICO GENERAL) Desinencia de terminación que se usa cuando se describe cierto hecho; o pregunta, ordena o reclama algo. <narración>

(39) 순하다 [sunhada]

apacible, dócil, manejable, flexible

Que la cualidad, el comportamiento, etc. es suave y bueno.

아이가 성격이 순해요.
aiga seonggyeogi sunhaeyo.

아이+가 성격+이 순하+여요.
순해요

아이 : niño, nene, chico
가 : Posposición que se usa para indicar el objeto de cierto estado o situación o el agente de un movimiento.
성격 : carácter
이 : Posposición que se usa para indicar el objeto de cierto estado o situación o el agente de un movimiento.
순하다 : apacible, dócil, manejable, flexible
-여요 : (TRATAMIENTO HONORÍFICO GENERAL) Desinencia de terminación que se usa cuando se describe cierto hecho; o pregunta, ordena o reclama algo. <narración>

(40) 활발하다 [hwalbalhada]

animado, alegre, vigoroso

Que está lleno de vida y energía.

나는 활발한 사람이 좋아요.
naneun hwalbalhan sarami joayo.

나+는 활발하+ㄴ 사람+이 좋+아요.
활발한

나 : yo
는 : Posposición que se usa para indicar que cierto objeto es tópico en la oración.
활발하다 : animado, alegre, vigoroso
-ㄴ : Desinencia que hace que la palabra antecedente ejerza la función de una palabra determinante, e indica el estado del presente.
사람 : persona, hombre, ser humano
이 : Posposición que se usa para indicar el objeto de cierto estado o situación o el agente de un movimiento.
좋다 : conforme
-아요 : (TRATAMIENTO HONORÍFICO GENERAL) Desinencia de terminación que se usa cuando se describe cierto hecho; o pregunta, ordena o reclama algo. <narración>

(41) 게으르다 [geeureuda]

perezoso, vago, flojo

Lento, que no gusta de moverse o trabajar.

게으른 사람은 성공하지 못해요.
geeureun sarameun seonggonghaji motaeyo.

게으르+ㄴ 사람+은 성공하+[지 못하]+여요.
게으른 성공하지 못해요

게으르다 : perezoso, vago, flojo
-ㄴ : Desinencia que hace que la palabra antecedente ejerza la función de una palabra determinante, e indica el estado del presente.
사람 : persona, hombre, ser humano
은 : Posposición que se usa para indicar que cierto objeto es tópico en la oración.
성공하다 : alcanzar el éxito
-지 못하다 : Expresión que se usa para indicar que el sujeto no tiene la capacidad para cumplir la acción de la frase anterior o va en contra de la voluntad del sujeto.
-여요 : (TRATAMIENTO HONORÍFICO GENERAL) Desinencia de terminación que se usa cuando se describe cierto hecho; o pregunta, ordena o reclama algo. <narración>

(42) 부지런하다 [bujireonhada]

trabajador, laborioso, industrioso

Que tiende a trabajar fielmente, sin holgazanear.

부지런한 사람이 성공할 수 있어요.
bujireonhan sarami seonggonghal su isseoyo.

부지런하+ㄴ 사람+이 성공하+[ㄹ 수 있]+어요.
부지런한 성공할 수 있어요

부지런하다 : trabajador, laborioso, industrioso
-ㄴ : Desinencia que hace que la palabra antecedente ejerza la función de una palabra determinante, e indica el estado del presente.
사람 : persona, hombre, ser humano
이 : Posposición que se usa para indicar el objeto de cierto estado o situación o el agente de un movimiento.

성공하다 : alcanzar el éxito
-ㄹ 수 있다 : Expresión que indica que es posible realizar cierta acción, o permanecer en cierto estado.
-어요 : (TRATAMIENTO HONORÍFICO GENERAL) Desinencia de terminación que se usa cuando se describe cierto hecho; o pregunta, ordena o reclama algo. <narración>

(43) 착하다 [chakada]

bueno, amable

Dicho de la forma de ser o actuar, que es buena, correcta y amable.

그녀는 마음씨가 착해요.
geunyeoneun maeumssiga chakaeyo.

그녀+는 마음씨+가 착하+여요.
착해요

그녀 : ella
는 : Posposición que se usa para indicar que cierto objeto es tópico en la oración.
마음씨 : de corazón
가 : Posposición que se usa para indicar el objeto de cierto estado o situación o el agente de un movimiento.
착하다 : bueno, amable
-여요 : (TRATAMIENTO HONORÍFICO GENERAL) Desinencia de terminación que se usa cuando se describe cierto hecho; o pregunta, ordena o reclama algo. <narración>

(44) 친절하다 [chinjeolhada]

amable, cortés

Que tiene complacencia, agrado y delicadeza en el trato con otra persona.

가게 주인은 모든 손님에게 친절해요.
gage juineun modeun sonnimege chinjeolhaeyo.

가게 주인+은 모든 손님+에게 친절하+여요.
친절해요

가게 : tienda
주인 : dueño, propietario

은 : Posposición que se usa para indicar que cierto objeto es tópico en la oración.
모든 : todo
손님 : cliente
에게 : Posposición que indica ser un objeto influyente de cierta acción.
친절하다 : amable, cortés
-여요 : (TRATAMIENTO HONORÍFICO GENERAL) Desinencia de terminación que se usa cuando se describe cierto hecho; o pregunta, ordena o reclama algo. <narración>

(45) 날씬하다 [nalssinhada]

esbelto, delgado

Que tiene el cuerpo proporcionadamente fino y delgado.

모델은 몸매가 날씬해요.
modereun mommaega nalssinhaeyo.

모델+은 몸매+가 날씬하+여요.
날씬해요

모델 : modelo
은 : Posposición que se usa para indicar que cierto objeto es tópico en la oración.
몸매 : figura, silueta
가 : Posposición que se usa para indicar el objeto de cierto estado o situación o el agente de un movimiento.
날씬하다 : esbelto, delgado
-여요 : (TRATAMIENTO HONORÍFICO GENERAL) Desinencia de terminación que se usa cuando se describe cierto hecho; o pregunta, ordena o reclama algo. <narración>

(46) 뚱뚱하다 [ttungttunghada]

gordo, gordete, grueso, corpulento, barrigudo

Que tiene un cuerpo gordo y grueso.

요즘은 뚱뚱한 청소년이 많아졌어요.
yojeumeun ttungttunghan cheongsonyeoni manajeosseoyo.

요즘+은 뚱뚱하+ㄴ 청소년+이 많아지+었+어요.
뚱뚱한 **많아졌어요**

요즘 : estos días
은 : Posposición que se usa para indicar que cierto objeto es tópico en la oración.
뚱뚱하다 : gordo, , gordete, grueso, corpulento, barrigudo
-ㄴ : Desinencia que hace que la palabra antecedente ejerza la función de una palabra determinante, e indica el estado del presente.
청소년 : adolescente
이 : Posposición que se usa para indicar el objeto de cierto estado o situación o el agente de un movimiento.
많아지다 : aumentar
-었- : Desinencia que se usa cuando cierto suceso fue acabado en el pasado o cuando el resultado de ese suceso continúa hasta el presente.
-어요 : (TRATAMIENTO HONORÍFICO GENERAL) Desinencia de terminación que se usa cuando se describe cierto hecho; o pregunta, ordena o reclama algo. <narración>

(47) 아름답다 [areumdapda]

hermoso, bello, lindo, bonito

Dícese de la apariencia, la voz, el color, etc. de algo o alguien: que puede resultar agradable y satisfactorio a los ojos u oídos.

여기 경치가 무척 아름다워요.
yeogi gyeongchiga mucheok areumdawoyo.

여기 경치+가 무척 아름답(아름다우)+어요.
아름다워요

여기 : aquí, acá
경치 : paisaje
가 : Posposición que se usa para indicar el objeto de cierto estado o situación o el agente de un movimiento.
무척 : demasía, extremo, sumo
아름답다 : hermoso, bello, lindo, bonito
-어요 : (TRATAMIENTO HONORÍFICO GENERAL) Desinencia de terminación que se usa cuando se describe cierto hecho; o pregunta, ordena o reclama algo. <narración>

(48) 어리다 [eorida]

joven

De poca edad.

내 동생은 아직 어려요.

nae dongsaengeun ajik eoryeoyo.

나+의 동생+은 아직 어리+어요.
내 어려요

나 : yo
의 : Posposición que se usa para indicar que la palabra anterior tiene una relación de posesión, pertenencia, integración, conexión, procedencia, sujeto con la posterior.
동생 : dongsaeng, hermano menor
은 : Posposición que se usa para indicar que cierto objeto es tópico en la oración.
아직 : todavía, aún, ni hasta ahora
어리다 : joven
-어요 : (TRATAMIENTO HONORÍFICO GENERAL) Desinencia de terminación que se usa cuando se describe cierto hecho; o pregunta, ordena o reclama algo. <narración>

(49) 예쁘다 [yeppeuda]

bonito, lindo, mono, monín

Que es hermoso a los ojos el aspecto.

구름이 참 예뻐요.

gureumi cham yeppeoyo.

구름+이 참 예쁘(예ㅃ)+어요.
예뻐요

구름 : nube
이 : Posposición que se usa para indicar el objeto de cierto estado o situación o el agente de un movimiento.
참 : verdaderamente, realmente, muy, mucho
예쁘다 : bonito, lindo, mono, monín
-어요 : (TRATAMIENTO HONORÍFICO GENERAL) Desinencia de terminación que se usa cuando se describe cierto hecho; o pregunta, ordena o reclama algo. <narración>

(50) 젊다 [jeomda]

joven, juvenil

Estar en la plenitud de la edad.

이 회사에는 젊은 사람들이 많아요.
i hoesaeneun jeolmeun saramdeuri manayo.

이 회사+에+는 젊+은 사람+들+이 많+아요.

이 : este
회사 : empresa, compañía, corporación
에 : Posposición que se usa cuando la palabra anterior indica cierto lugar o sitio.
는 : Posposición que se usa para indicar que cierto objeto es tópico en la oración.
젊다 : joven, juvenil
-은 : Desinencia que hace que la palabra antecedente ejerza la función de un componente determinante, e indica que el estado del presente.
사람 : persona, hombre, ser humano
들 : Sufijo que añade el significado de 'plural'.
이 : Posposición que se usa para indicar el objeto de cierto estado o situación o el agente de un movimiento.
많다 : mucho, generoso, abundante, satisfactorio, cuantioso
-아요 : (TRATAMIENTO HONORÍFICO GENERAL) Desinencia de terminación que se usa cuando se describe cierto hecho; o pregunta, ordena o reclama algo. <narración>

(51) 똑똑하다 [ttokttokada]

inteligente, listo, brillante, genial

Dotado de inteligencia y listeza.

친구는 똑똑해서 공부를 잘해요.
chinguneun ttokttokaeseo gongbureul jalhaeyo.

친구+는 똑똑하+여서 공부+를 잘하+여요.
똑똑해서 잘해요

친구 : amigo
는 : Posposición que se usa para indicar que cierto objeto es tópico en la oración.
똑똑하다 : inteligente, listo, brillante, genial
-여서 : Desinencia conectora que se usa para indicar causa o fundamento.
공부 : estudio, aprendizaje, formación, instrucción
를 : Posposición que indica el objeto que influye directamente en la acción.
잘하다 : hacer bien
-여요 : (TRATAMIENTO HONORÍFICO GENERAL) Desinencia de terminación que se usa cuando se describe cierto hecho; o pregunta, ordena o reclama algo. <narración>

(52) 못하다 [motada]

inferior, peor

Que tiene nivel o grado inferior al referente de comparación.

음식 맛이 예전보다 못해요.

eumsik masi yejeonboda motaeyo.

음식 맛+이 예전+보다 못하+여요.

못해요

음식 : alimento, comida

맛 : sabor, gusto

이 : Posposición que se usa para indicar el objeto de cierto estado o situación o el agente de un movimiento.

예전 : pasado, tiempos antiguos

보다 : Posposición que indica el ser objeto de comparación en caso de paragonar la diferencia entre los dos.

못하다 : inferior, peor

-여요 : (TRATAMIENTO HONORÍFICO GENERAL) Desinencia de terminación que se usa cuando se describe cierto hecho; o pregunta, ordena o reclama algo. <narración>

(53) 쉽다 [swipda]

fácil

Que no es difícil ni arduo de realizar.

시험 문제가 쉬웠어요.

siheom munjega swiwosseoyo.

시험 문제+가 쉽(쉬우)+었+어요.

쉬웠어요

시험 : examen, prueba

문제 : pregunta, incógnita

가 : Posposición que se usa para indicar el objeto de cierto estado o situación o el agente de un movimiento.

쉽다 : fácil

-었- : Desinencia que se usa cuando cierto suceso fue acabado en el pasado o cuando el resultado de ese suceso continúa hasta el presente.

-어요 : (TRATAMIENTO HONORÍFICO GENERAL) Desinencia de terminación que se usa cuando se describe cierto hecho; o pregunta, ordena o reclama algo. <narración>

(54) 어렵다 [eoryeopda]

difícil, complejo

Que es arduo o complicado de realizar.

수학 문제는 항상 어려워요.

suhak munjeneun hangsang eoryeowoyo.

수학 문제+는 항상 어렵(어려우)+어요.

어려워요

수학 : matemática
문제 : pregunta, incógnita
는 : Posposición que se usa para indicar que cierto objeto es tópico en la oración.
항상 : siempre, en todo momento
어렵다 : difícil, complejo
-어요 : (TRATAMIENTO HONORÍFICO GENERAL) Desinencia de terminación que se usa cuando se describe cierto hecho; o pregunta, ordena o reclama algo. <narración>

(55) 훌륭하다 [hullyunghada]

estupendo, excelente, excepcional

Que es tan bueno y excelente como para ser elogiado.

이 차의 성능은 훌륭해요.

i chae seongneungeun hullyunghaeyo.

이 차+의 성능+은 훌륭하+여요.

훌륭해요

이 : este
차 : coche, auto, carro
의 : Posposición que se usa para indicar que la palabra anterior limita el atributo o la cantidad a la posterior; o que estas son de mismo atributo.
성능 : eficiencia, funcionalidad, rendimiento
은 : Posposición que se usa para indicar que cierto objeto es tópico en la oración.
훌륭하다 : estupendo, excelente, excepcional

-여요 : (TRATAMIENTO HONORÍFICO GENERAL) Desinencia de terminación que se usa cuando se describe cierto hecho; o pregunta, ordena o reclama algo. <narración>

(56) 힘들다 [himdeulda]

difícil, duro

Que requiere mucha energía o esfuerzo.

이 동작은 너무 힘들어요.

i dongjageun neomu himdeureoyo.

이 동작+은 너무 힘들+어요.

이 : este
동작 : movimiento
은 : Posposición que se usa para indicar que cierto objeto es tópico en la oración.
너무 : demasiado, excesivamente
힘들다 : difícil, duro
-어요 : (TRATAMIENTO HONORÍFICO GENERAL) Desinencia de terminación que se usa cuando se describe cierto hecho; o pregunta, ordena o reclama algo. <narración>

(57) 궁금하다 [gunggeumhada]

curioso

Con deseos de conocer o enterarse de algo.

무슨 화장품을 쓰는지 궁금해요?

museun hwajangpumeul sseuneunji gunggeumhaeyo?

무슨 화장품+을 쓰+는지 궁금하+여요?
궁금해요

무슨 : qué
화장품 : maquillaje, cosmético
을 : Posposición que se usa para indicar el objeto que ha sido influido directamente por una acción.
쓰다 : usar
-는지 : Desinencia conectora que se usa cuando se indica una razón o un juicio vago sobre el contenido de la palabra posterior.
궁금하다 : curioso

-여요 : (TRATAMIENTO HONORÍFICO GENERAL) Desinencia de terminación que se usa cuando se describe cierto hecho; o pregunta, ordena o reclama algo. <pregunta>

(58) 옳다 [olta]

justo

Que es recto, conforme a la norma.

그는 평생 옳은 삶을 살아 왔어요.
geuneun pyeongsaeng oreun salmeul sara wasseoyo.

그+는 평생 옳+은 삶+을 살+[아 오]+았+어요.
살아 왔어요

그 : él, ella, esa persona
는 : Posposición que se usa para indicar que cierto objeto es tópico en la oración.
평생 : toda la vida
옳다 : justo
-은 : Desinencia que hace que la palabra antecedente ejerza la función de un componente determinante, e indica que el estado del presente.
삶 : vida
을 : Posposición que se usa para indicar que es el complemento del nombre del predicado.
살다 : vivir
-아 오다 : Expresión que indica la sucesiva continuación de una acción o un estado que indica el comentario anterior, a medida que se acerca a su objetivo.
-았- : Desinencia que se usa cuando cierto suceso fue acabado en el pasado o cuando el resultado de ese suceso continúa hasta el presente.
-어요 : (TRATAMIENTO HONORÍFICO GENERAL) Desinencia de terminación que se usa cuando se describe cierto hecho; o pregunta, ordena o reclama algo. <narración>

(59) 바쁘다 [bappeuda]

ocupado, atareado, ajetreado

Que no tiene margen para hacer otra cosa porque tiene mucho trabajo o no dispone de tiempo extra.

식사를 못 할 정도로 바빠요.
siksareul mot hal jeongdoro bappayo.

식사+를 못 <u>하+ㄹ</u> 정도+로 <u>바쁘(바ㅃ)+아요</u>.
할 바빠요

식사 : comida
를 : Posposición que indica el objeto que influye directamente en la acción.
못 : no
하다 : hacer, realizar
-ㄹ : Desinencia que hace que la palabra antecedente ejerza la función de un componente determinante.
정도 : grado
로 : Posposición que indica el método o la forma de cierto lugar.
바쁘다 : ocupado, atareado, ajetreado
-아요 : (TRATAMIENTO HONORÍFICO GENERAL) Desinencia de terminación que se usa cuando se describe cierto hecho; o pregunta, ordena o reclama algo. <narración>

(60) 한가하다 [hangahada]

sin prisa

Que está tranquilo y sin prisa.

학교가 방학이어서 <u>한가해요</u>.
hakgyoga banghagieoseo hangahaeyo.

학교+가 방학+이+어서 <u>한가하+여요</u>.
한가해요

학교 : escuela, colegio
가 : Posposición que se usa para indicar el objeto de cierto estado o situación o el agente de un movimiento.
방학 : vacaciones
이다 : Posposición de caso atributivo, que se usa para designar el atributo o la clase del objeto al que se refiere el sujeto.
-어서 : Desinencia conectora que se usa para indicar causa o fundamento.
한가하다 : sin prisa
-여요 : (TRATAMIENTO HONORÍFICO GENERAL) Desinencia de terminación que se usa cuando se describe cierto hecho; o pregunta, ordena o reclama algo. <narración>

(61) 달다 [dalda]

dulce, azucarado

Que sabe a miel o azúcar.

초콜릿이 너무 <u>달아요</u>.

chokollisi neomu darayo.

초콜릿+이 너무 달+아요.

초콜릿 : chocolate
이 : Posposición que se usa para indicar el objeto de cierto estado o situación o el agente de un movimiento.
너무 : demasiado, excesivamente
달다 : dulce, azucarado
-아요 : (TRATAMIENTO HONORÍFICO GENERAL) Desinencia de terminación que se usa cuando se describe cierto hecho; o pregunta, ordena o reclama algo. <narración>

(62) 맛없다 [madeopda]

desabrido, soso, insípido, feo

Dícese de una comida: Que sabe mal.

배가 불러서 다 <u>맛없어요</u>.

baega bulleoseo da maseopseoyo.

배+가 <u>부르(불ㄹ)+어서</u> 다 맛없+어요.
불러서

배 : panza
가 : Posposición que se usa para indicar el objeto de cierto estado o situación o el agente de un movimiento.
부르다 : lleno, saciado
-어서 : Desinencia conectora que se usa para indicar causa o fundamento.
다 : todo
맛없다 : desabrido, soso, insípido, feo
-어요 : (TRATAMIENTO HONORÍFICO GENERAL) Desinencia de terminación que se usa cuando se describe cierto hecho; o pregunta, ordena o reclama algo. <narración>

(63) 맛있다 [maditda]

sabroso, delicioso, rico, apetitoso

Que sabe bien.

어머니가 해 주신 음식이 제일 맛있어요.

eomeoniga hae jusin eumsigi jeil masisseoyo.

어머니+가 하+[여 주]+시+ㄴ 음식+이 제일 맛있+어요.
해 주신

어머니 : madre, mamá
가 : Posposición que se usa para indicar el objeto de cierto estado o situación o el agente de un movimiento.
하다 : crear
-여 주다 : Expresión que indica la realización de una acción que indica el comentario anterior para el bien del otro.
-시- : Desinencia que se usa para dar un tratamiento honorífico al agente de una acción verbal o de un determinado estado.
-ㄴ : Desinencia que hace que la palabra antecedente ejerza la función de una palabra determinante, e indica que un suceso o una acción se mantiene en el mismo estado que cuando concluyó en un momento del pasado.
음식 : alimento, comida
이 : Posposición que se usa para indicar el objeto de cierto estado o situación o el agente de un movimiento.
제일 : primeramente
맛있다 : sabroso, delicioso, rico, apetitoso
-어요 : (TRATAMIENTO HONORÍFICO GENERAL) Desinencia de terminación que se usa cuando se describe cierto hecho; o pregunta, ordena o reclama algo. <narración>

(64) 맵다 [maepda]

picante, acre

Que se siente áspero y acerbo al gusto, como el sabor de la guindilla, mostaza, etc.

김치가 너무 매워요.

gimchiga neomu maewoyo.

김치+가 너무 맵(매우)+어요.
매워요

김치 : kimchi
가 : Posposición que se usa para indicar el objeto de cierto estado o situación o el agente de un movimiento.
너무 : demasiado, excesivamente
맵다 : picante, acre
-어요 : (TRATAMIENTO HONORÍFICO GENERAL) Desinencia de terminación que se usa cuando se describe cierto hecho; o pregunta, ordena o reclama algo. <narración>

(65) 시다 [sida]

ácido, acedo, acidulado, agrio, avinagrado

Que sabe a vinagre.

과일이 모두 셔요.
gwairi modu syeoyo.

과일+이 모두 시+어요.
셔요

과일 : fruta
이 : Posposición que se usa para indicar el objeto de cierto estado o situación o el agente de un movimiento.
모두 : todo, todos, totalmente, enteramente, completamente
시다 : ácido, acedo, acidulado, agrio, avinagrado
-어요 : (TRATAMIENTO HONORÍFICO GENERAL) Desinencia de terminación que se usa cuando se describe cierto hecho; o pregunta, ordena o reclama algo. <narración>

(66) 시원하다 [siwonhada]

fresco, agradable, gustoso, apetitoso

Que un alimento está frío o exquisito como para comer a gusto; o que está caliente como para sentirse bien.

국물이 시원해요.
gungmuri siwonhaeyo.

국물+이 시원하+여요.
시원해요

국물 : sopa, caldo
이 : Posposición que se usa para indicar el objeto de cierto estado o situación o el agente de un movimiento.
시원하다 : fresco, agradable, gustoso, apetitoso
-여요 : (TRATAMIENTO HONORÍFICO GENERAL) Desinencia de terminación que se usa cuando se describe cierto hecho; o pregunta, ordena o reclama algo. <narración>

(67) 싱겁다 [singgeopda]

soso

Que tiene una muy reducida dosis de sal.

찌개에 물을 넣어서 싱거워요.

jjigaee mureul neoeoseo singgeowoyo.

찌개+에 물+을 넣+어서 싱겁(싱거우)+어요.
싱거워요

찌개 : jjigae, estofado
에 : Posposición que se usa cuando la palabra anterior es objeto que influye en cierta acción o función.
물 : agua
을 : Posposición que se usa para indicar el objeto que ha sido influido directamente por una acción.
넣다 : meter, insertar, introducir
-어서 : Desinencia conectora que se usa para indicar causa o fundamento.
싱겁다 : soso
-어요 : (TRATAMIENTO HONORÍFICO GENERAL) Desinencia de terminación que se usa cuando se describe cierto hecho; o pregunta, ordena o reclama algo. <narración>

(68) 쓰다 [sseuda]

amargo

Que tiene sabor característico de medicamentos.

아이가 먹기에 약이 너무 써요.

aiga meokgie yagi neomu sseoyo.

아이+가 먹+기+에 약+이 너무 쓰(ㅆ)+어요.
써요

아이 : niño, nene, chico
가 : Posposición que se usa para indicar el objeto de cierto estado o situación o el agente de un movimiento.
먹다 : pasar, deglutir
-기 : Desinencia que se usa cuando la palabra anterior ejerce la función del sustantivo.
에 : Posposición que se usa cuando la palabra anterior es una condición, ambiente, estado, etc. de algo.
약 : medicina, droga
이 : Posposición que se usa para indicar el objeto de cierto estado o situación o el agente de un movimiento.
너무 : demasiado, excesivamente
쓰다 : amargo
-어요 : (TRATAMIENTO HONORÍFICO GENERAL) Desinencia de terminación que se usa cuando se describe cierto hecho; o pregunta, ordena o reclama algo. <narración>

(69) 짜다 [jjada]

salado

Que tiene el sabor de la sal.

소금을 많이 넣어서 국물이 짜요.
sogeumeul mani neoeoseo gungmuri jjayo.

소금+을 많이 넣+어서 국물+이 짜+아요.
짜요

소금 : sal
을 : Posposición que se usa para indicar el objeto que ha sido influido directamente por una acción.
많이 : mucho, abundantemente, copiosamente
넣다 : meter, insertar, introducir
-어서 : Desinencia conectora que se usa para indicar causa o fundamento.
국물 : sopa, caldo
이 : Posposición que se usa para indicar el objeto de cierto estado o situación o el agente de un movimiento.
짜다 : salado
-아요 : (TRATAMIENTO HONORÍFICO GENERAL) Desinencia de terminación que se usa cuando se describe cierto hecho; o pregunta, ordena o reclama algo. <narración>

(70) 깨끗하다 [kkaekkeutada]

limpio

Que no es sucio un objeto.

화장실이 정말 깨끗해요.
hwajangsiri jeongmal kkaekkeutaeyo.

화장실+이 정말 깨끗하+여요.
깨끗해요

화장실 : cuarto de baño, cuarto de aseo
이 : Posposición que se usa para indicar el objeto de cierto estado o situación o el agente de un movimiento.
정말 : verdaderamente, realmente
깨끗하다 : limpio
-여요 : (TRATAMIENTO HONORÍFICO GENERAL) Desinencia de terminación que se usa cuando se describe cierto hecho; o pregunta, ordena o reclama algo. <narración>

(71) 더럽다 [deoreopda]

sucio, cochino, inmundo, asqueroso
Que no es limpio ni pulcro porque tiene suciedad o residuos de algo en su exterior.

차가 더러워서 세차를 했어요.
chaga deoreowoseo sechareul haesseoyo.
차+가 더럽(더러우)+어서 세차+를 하+였+어요.
더러워서 했어요

차 : coche, auto, carro
가 : Posposición que se usa para indicar el objeto de cierto estado o situación o el agente de un movimiento.
더럽다 : sucio, cochino, inmundo, asqueroso
-어서 : Desinencia conectora que se usa para indicar causa o fundamento.
세차 : lavado de coche
를 : Posposición que indica el objeto que influye directamente en la acción.
하다 : hacer, realizar
-였- : Desinencia que se usa cuando cierto suceso fue acabado en el pasado o cuando el resultado de ese suceso continúa hasta el presente.
-어요 : (TRATAMIENTO HONORÍFICO GENERAL) Desinencia de terminación que se usa cuando se describe cierto hecho; o pregunta, ordena o reclama algo. <narración>

(72) 불편하다 [bulpyeonhada]

incómodo, dificultoso

Que es incómodo para usar.

이곳은 교통이 불편해요.

igoseun gyotongi bulpyeonhaeyo.

이곳+은 교통+이 불편하+여요.

불편해요

이곳 : aquí
은 : Posposición que se usa para indicar que cierto objeto es tópico en la oración.
교통 : transporte
이 : Posposición que se usa para indicar el objeto de cierto estado o situación o el agente de un movimiento.
불편하다 : incómodo, dificultoso
-여요 : (TRATAMIENTO HONORÍFICO GENERAL) Desinencia de terminación que se usa cuando se describe cierto hecho; o pregunta, ordena o reclama algo. <narración>

(73) 시끄럽다 [sikkeureopda]

ruidoso, bullicioso, estrepitoso, tumultuoso

Que hay mucho ruido y estrépito como para molestar al oído.

시끄러운 소리가 들려요.

sikkeureoun soriga deullyeoyo.

시끄럽(시끄러우)+ㄴ 소리+가 들리+어요.

시끄러운 들려요

시끄럽다 : ruidoso, bullicioso, estrepitoso, tumultuoso
-ㄴ : Desinencia que hace que la palabra antecedente ejerza la función de una palabra determinante, e indica el estado del presente.
소리 : sonido, resonancia
가 : Posposición que se usa para indicar el objeto de cierto estado o situación o el agente de un movimiento.
들리다 : oírse

-어요 : (TRATAMIENTO HONORÍFICO GENERAL) Desinencia de terminación que se usa cuando se describe cierto hecho; o pregunta, ordena o reclama algo. <narración>

(74) 조용하다 [joyonghada]

silencioso, calmo, tranquilo

Que no se escucha ningún ruido.

거리가 조용해요.
georiga joyonghaeyo.

거리+가 조용하+여요.
조용해요

거리 : calle, carretera, camino, paso
가 : Posposición que se usa para indicar el objeto de cierto estado o situación o el agente de un movimiento.
조용하다 : silencioso, calmo, tranquilo
-여요 : (TRATAMIENTO HONORÍFICO GENERAL) Desinencia de terminación que se usa cuando se describe cierto hecho; o pregunta, ordena o reclama algo. <narración>

(75) 지저분하다 [jijeobunhada]

desordenado, confuso, bullicioso, caótico

Que está con alboroto ante la falta de orden.

길이 너무 지저분해요.
giri neomu jijeobunhaeyo.

길+이 너무 지저분하+여요.
지저분해요

길 : calle
이 : Posposición que se usa para indicar el objeto de cierto estado o situación o el agente de un movimiento.
너무 : demasiado, excesivamente
지저분하다 : desordenado, confuso, bullicioso, caótico

-여요 : (TRATAMIENTO HONORÍFICO GENERAL) Desinencia de terminación que se usa cuando se describe cierto hecho; o pregunta, ordena o reclama algo. <narración>

(76) 비싸다 [bissada]

caro, costoso, cotizado, altivo

Que exige un precio o un costo más alto del promedio.

백화점은 시장보다 가격이 <u>비싸요</u>.

baekwajeomeun sijangboda gagyeogi bissayo.

백화점+은 시장+보다 가격+이 <u>비싸+아요</u>.

비싸요

백화점 : grandes almacenes
은 : Posposición que se usa para indicar que cierto objeto es tópico en la oración.
시장 : mercado
보다 : Posposición que indica el ser objeto de comparación en caso de paragonar la diferencia entre los dos.
가격 : precio
이 : Posposición que se usa para indicar el objeto de cierto estado o situación o el agente de un movimiento.
비싸다 : caro, costoso, cotizado, altivo
-아요 : (TRATAMIENTO HONORÍFICO GENERAL) Desinencia de terminación que se usa cuando se describe cierto hecho; o pregunta, ordena o reclama algo. <narración>

(77) 싸다 [ssada]

barato, asequible, económico, módico

Precio inferior a lo normal.

이 동네는 집값이 <u>싸요</u>.

i dongneneun jipgapsi ssayo.

이 동네+는 집값+이 <u>싸+아요</u>.

싸요

이 : este

동네 : barrio, vencindad, vecindario
는 : Posposición que se usa para indicar que cierto objeto es tópico en la oración.
집값 : precio del inmueble, valor de la vivienda
이 : Posposición que se usa para indicar el objeto de cierto estado o situación o el agente de un movimiento.
싸다 : barato, asequible, económico, módico
-아요 : (TRATAMIENTO HONORÍFICO GENERAL) Desinencia de terminación que se usa cuando se describe cierto hecho; o pregunta, ordena o reclama algo. <narración>

(78) 덥다 [deopda]

caliente, cálido, caluroso

Ser alta la temperatura que siente uno.

여름이 지났는데도 더워요.
yeoreumi jinanneundedo deowoyo.

여름+이 지나+았+는데도 덥(더우)+어요.
지났는데도 더워요

여름 : verano
이 : Posposición que se usa para indicar el objeto de cierto estado o situación o el agente de un movimiento.
지나다 : pasar, transcurrir
-았- : Desinencia que se usa cuando cierto suceso fue acabado en el pasado o cuando el resultado de ese suceso continúa hasta el presente.
-는데도 : Expresión que indica que ha surgido algo posteriormente que no tiene relación con lo anterior.
덥다 : caliente, cálido, caluroso
-어요 : (TRATAMIENTO HONORÍFICO GENERAL) Desinencia de terminación que se usa cuando se describe cierto hecho; o pregunta, ordena o reclama algo. <narración>

(79) 따뜻하다 [ttatteutada]

templado

Que presenta una temperatura moderadamente calurosa que provoca una sensación agradable.

날씨가 따뜻해요.
nalssiga ttatteutaeyo.

날씨+가 따뜻하+여요.
따뜻해요

날씨 : tiempo
가 : Posposición que se usa para indicar el objeto de cierto estado o situación o el agente de un movimiento.
따뜻하다 : templado
-여요 : (TRATAMIENTO HONORÍFICO GENERAL) Desinencia de terminación que se usa cuando se describe cierto hecho; o pregunta, ordena o reclama algo. <narración>

(80) 맑다 [makda]

despejado, disipado

Dícese del tiempo: Que está bueno porque el cielo no está cubierto de nubes ni neblinas.

가을 하늘은 푸르고 맑아요.
gaeul haneureun pureugo malgayo.

가을 하늘+은 푸르+고 맑+아요.

가을 : otoño
하늘 : cielo
은 : Posposición que se usa para indicar que cierto objeto es tópico en la oración.
푸르다 : azul, verde
-고 : Desinencia conectora que se usa cuando se enumeran más de dos hechos similares.
맑다 : despejado, disipado
-아요 : (TRATAMIENTO HONORÍFICO GENERAL) Desinencia de terminación que se usa cuando se describe cierto hecho; o pregunta, ordena o reclama algo. <narración>

(81) 선선하다 [seonseonhada]

fresco

Que se siente frío moderado o suavidad fresca.

이제 아침저녁으로 선선해요.
ije achimjeonyeogeuro seonseonhaeyo.

이제 아침저녁+으로 선선하+여요.
선선해요

이제 : ahora
아침저녁 : mañana y noche
으로 : Posposición que indica la hora.
선선하다 : fresco
-여요 : (TRATAMIENTO HONORÍFICO GENERAL) Desinencia de terminación que se usa cuando se describe cierto hecho; o pregunta, ordena o reclama algo. <narración>

(82) 쌀쌀하다 [ssalssalhada]

algo frío

Dícese del tiempo: Que se siente algo frío.

바람이 꽤 쌀쌀해요.
barami kkwae ssalssalhaeyo.

바람+이 꽤 쌀쌀하+여요.
쌀쌀해요

바람 : viento
이 : Posposición que se usa para indicar el objeto de cierto estado o situación o el agente de un movimiento.
꽤 : bastante, considerablemente
쌀쌀하다 : algo frío
-여요 : (TRATAMIENTO HONORÍFICO GENERAL) Desinencia de terminación que se usa cuando se describe cierto hecho; o pregunta, ordena o reclama algo. <narración>

(83) 춥다 [chupda]

frío

Que es baja la temperatura atmosférica.

날이 추우니 따뜻하게 입으세요.
nari chuuni ttatteutage ibeuseyo.

날+이 <u>춥(추우)+니</u> 따뜻하+게 입+으세요.
추우니

날 : clima, tiempo
이 : Posposición que se usa para indicar el objeto de cierto estado o situación o el agente de un movimiento.
춥다 : frío
-니 : Desinencia conectora que se usa cuando la palabra anterior es una causa, fundamento o premisa de la palabra posterior.
따뜻하다 : templado
-게 : Desinencia conectora que se usa cuando la palabra anterior es el objetivo, resultado, método, grado, etc. que indica al posterior.
입다 : vestirse
-으세요 : (TRATAMIENTO HONORÍFICO GENERAL) Desinencia de terminación que se usa cuando se manifiesta el sentido de explicación, duda, orden, reclamación, etc. <orden>

(84) 흐리다 [heurida]

nuboso, brumoso

Dicho del tiempo, que no está claro debido a la nubosidad o niebla.

안개 때문에 <u>흐려서</u> 앞이 안 보여요.
angae ttaemune heuryeoseo api an boyeoyo.
안개 때문+에 <u>흐리+어서</u> 앞+이 안 <u>보이+어요</u>.
흐려서 보여요

안개 : niebla, neblina
때문 : causa, motivo, razón
에 : Posposición que se usa cuando la palabra anterior indica la causa de algo.
흐리다 : nuboso, brumoso
-어서 : Desinencia conectora que se usa para indicar causa o fundamento.
앞 : frente,, delante
이 : Posposición que se usa para indicar el objeto de cierto estado o situación o el agente de un movimiento.
안 : no
보이다 : verse, mirarse
-어요 : (TRATAMIENTO HONORÍFICO GENERAL) Desinencia de terminación que se usa cuando se describe cierto hecho; o pregunta, ordena o reclama algo. <narración>

(85) 가늘다 [ganeulda]

delgado fino, estrecho, angosto

Dícese de la anchura de un objeto que es angosto, fino y largo.

저는 손가락이 가늘어요.

jeoneun songaragi ganeureoyo.

저+는 손가락+이 가늘+어요.

저 : yo
는 : Posposición que se usa para indicar que cierto objeto es tópico en la oración.
손가락 : dedo
이 : Posposición que se usa para indicar el objeto de cierto estado o situación o el agente de un movimiento.
가늘다 : delgado fino, estrecho, angosto
-어요 : (TRATAMIENTO HONORÍFICO GENERAL) Desinencia de terminación que se usa cuando se describe cierto hecho; o pregunta, ordena o reclama algo. <narración>

(86) 같다 [gatda]

igual, mismo, idéntico

Que no se diferencian entre sí.

저는 여동생과 키가 같아요.

jeoneun yeodongsaenggwa kiga gatayo.

저+는 여동생+과 키+가 같+아요.

저 : yo
는 : Posposición que se usa para indicar que cierto objeto es tópico en la oración.
여동생 : hermana menor
과 : Posposición que se añade a una palabra que sirve como referente de comparación o control.
키 : estatura, altura
가 : Posposición que se usa para indicar el objeto de cierto estado o situación o el agente de un movimiento.
같다 : igual, mismo, idéntico
-아요 : (TRATAMIENTO HONORÍFICO GENERAL) Desinencia de terminación que se usa cuando se describe cierto hecho; o pregunta, ordena o reclama algo. <narración>

(87) 굵다 [gukda]

grueso, gordo

Dícese de un objeto alargado que es ancho y tiene un contorno largo.

저는 허리가 굵어요.
jeoneun heoriga gulgeoyo.

저+는 허리+가 굵+어요.

저 : yo
는 : Posposición que se usa para indicar que cierto objeto es tópico en la oración.
허리 : cintura
가 : Posposición que se usa para indicar el objeto de cierto estado o situación o el agente de un movimiento.
굵다 : grueso, gordo
-어요 : (TRATAMIENTO HONORÍFICO GENERAL) Desinencia de terminación que se usa cuando se describe cierto hecho; o pregunta, ordena o reclama algo. <narración>

(88) 길다 [gilda]

largo, distanciado, apartado

Dícese de un objeto que tiene los dos extremos alejados entre sí.

치마 길이가 길어요.
chima giriga gireoyo.

치마 길이+가 길+어요.

치마 : falda
길이 : trayecto, trecho
가 : Posposición que se usa para indicar el objeto de cierto estado o situación o el agente de un movimiento.
길다 : largo, distanciado, apartado
-어요 : (TRATAMIENTO HONORÍFICO GENERAL) Desinencia de terminación que se usa cuando se describe cierto hecho; o pregunta, ordena o reclama algo. <narración>

(89) 깊다 [gipda]

profundo, hondo, recóndito

Que es larga la distancia entre el fondo y la superficie.

물이 깊으니 들어가지 마세요.

muri gipeuni deureogaji maseyo.

물+이 깊+으니 들어가+[지 말(마)]+세요.
들어가지 마세요

물 : agua
이 : Posposición que se usa para indicar el objeto de cierto estado o situación o el agente de un movimiento.
깊다 : profundo, hondo, recóndito
-으니 : Desinencia conectora que se usa cuando la palabra anterior es una causa, fundamento o premisa de la palabra posterior.
들어가다 : entrar
-지 말다 : Expresión que se usa para prohibir la acción del comentario mencionado anteriormente.
-세요 : (TRATAMIENTO HONORÍFICO GENERAL) Desinencia de terminación que se usa cuando se manifiesta el sentido de explicación, duda, orden, reclamación, etc. <orden>

(90) 낮다 [natda]

bajo

Que tiene poca altura.

저는 굽이 낮은 구두를 즐겨 신어요.

jeoneun gubi najeun gudureul jeulgyeo sineoyo.

저+는 굽+이 낮+은 구두+를 즐기+어 신+어요.
즐겨

저 : yo
는 : Posposición que se usa para indicar que cierto objeto es tópico en la oración.
굽 : tacón, taco
이 : Posposición que se usa para indicar el objeto de cierto estado o situación o el agente de un movimiento.
낮다 : bajo

-은 : Desinencia que hace que la palabra antecedente ejerza la función de un componente determinante, e indica que el estado del presente.
구두 : zapatos
를 : Posposición que indica el objeto que influye directamente en la acción.
즐기다 : disfrutar, gozar
-어 : Desinencia conectora que se usa cuando la palabra anterior se realiza antes de que la posterior, o es un método o medio de la palabra posterior.
신다 : ponerse, calzar
-어요 : (TRATAMIENTO HONORÍFICO GENERAL) Desinencia de terminación que se usa cuando se describe cierto hecho; o pregunta, ordena o reclama algo. <narración>

(91) 넓다 [neolda]

ancho, extenso, espacioso, vasto

Dícese de una cara o un suelo que tiene una gran superficie.

넓은 이마를 가리려고 앞머리를 내렸어요.

neolbeun imareul gariryeogo ammeorireul naeryeosseoyo.

넓+은 이마+를 가리+려고 앞머리+를 내리+었+어요.
내렸어요

넓다 : ancho, extenso, espacioso, vasto
-은 : Desinencia que hace que la palabra antecedente ejerza la función de un componente determinante, e indica que el estado del presente.
이마 : frente
를 : Posposición que indica el objeto que influye directamente en la acción.
가리다 : ocultar
-려고 : Desinencia conectora que se usa cuando alguien tiene la intención o deseo de hacer cierta acción.
앞머리 : flequillo
를 : Posposición que indica el objeto que influye directamente en la acción.
내리다 : bajarse, descenderse, suspenderse
-었- : Desinencia que se usa cuando cierto suceso fue acabado en el pasado o cuando el resultado de ese suceso continúa hasta el presente.
-어요 : (TRATAMIENTO HONORÍFICO GENERAL) Desinencia de terminación que se usa cuando se describe cierto hecho; o pregunta, ordena o reclama algo. <narración>

(92) 높다 [nopda]

alto, elevado

Que tiene gran extensión en sentido vertical.

서울에는 높은 빌딩이 많아요.

seoureneun nopeun bildingi manayo.

서울+에+는 높+은 빌딩+이 많+아요.

서울 : Seúl
에 : Posposición que se usa cuando la palabra anterior indica cierto lugar o sitio.
는 : Posposición que se usa para indicar que cierto objeto es tópico en la oración.
높다 : alto, elevado
-은 : Desinencia que hace que la palabra antecedente ejerza la función de un componente determinante, e indica que el estado del presente.
빌딩 : edificio, rascacielos
이 : Posposición que se usa para indicar el objeto de cierto estado o situación o el agente de un movimiento.
많다 : mucho, generoso, abundante, satisfactorio, cuantioso
-아요 : (TRATAMIENTO HONORÍFICO GENERAL) Desinencia de terminación que se usa cuando se describe cierto hecho; o pregunta, ordena o reclama algo. <narración>

(93) 다르다 [dareuda]

diferente, distinto

Que no comparten igualdades entre sí.

저는 언니와 성격이 많이 달라요.

jeoneun eonniwa seonggyeogi mani dallayo.

저+는 언니+와 성격+이 많이 다르(달ㄹ)+아요.
달라요

저 : yo
는 : Posposición que se usa para indicar que cierto objeto es tópico en la oración.
언니 : eonni, hermana mayor
와 : Posposición que se usa para indicar el objeto de comparación o criterio.
성격 : carácter

이 : Posposición que se usa para indicar el objeto de cierto estado o situación o el agente de un movimiento.
많이 : mucho, abundantemente, copiosamente
다르다 : diferente, distinto
-아요 : (TRATAMIENTO HONORÍFICO GENERAL) Desinencia de terminación que se usa cuando se describe cierto hecho; o pregunta, ordena o reclama algo. <narración>

(94) 닮다 [damda]

parecerse

Compartir características semejantes dos o más personas o cosas en el aspecto o carácter.

저는 언니와 안 <u>닮았어요</u>.
jeoneun eonniwa an dalmasseoyo.

저+는 언니+와 안 닮+았+어요.

저 : yo
는 : Posposición que se usa para indicar que cierto objeto es tópico en la oración.
언니 : eonni, hermana mayor
와 : Posposición que se usa para indicar el objeto de comparación o criterio.
안 : no
닮다 : parecerse
-았- : Desinencia que se usa cuando cierto suceso fue acabado en el pasado o cuando el resultado de ese suceso continúa hasta el presente.
-어요 : (TRATAMIENTO HONORÍFICO GENERAL) Desinencia de terminación que se usa cuando se describe cierto hecho; o pregunta, ordena o reclama algo. <narración>

(95) 두껍다 [dukkeopda]

grueso, voluminoso, espeso

Que es larga la distancia entre un lado de un objeto ancho y el otro que está paralelo a él.

고기를 <u>두껍게</u> 썰어서 잘 안 익어요.
gogireul dukkeopge sseoreoseo jal an igeoyo.

고기+를 두껍+게 썰+어서 잘 안 익+어요.

고기 : carne
를 : Posposición que indica el objeto que influye directamente en la acción.
두껍다 : grueso, voluminoso, espeso
-게 : Desinencia conectora que se usa cuando la palabra anterior es el objetivo, resultado, método, grado, etc. que indica al posterior.
썰다 : cortar, tajar, talar, tronchar, guillotinar
-어서 : Desinencia conectora que se usa para indicar causa o fundamento.
잘 : apropiado, adecuado
안 : no
익다 : cocer
-어요 : (TRATAMIENTO HONORÍFICO GENERAL) Desinencia de terminación que se usa cuando se describe cierto hecho; o pregunta, ordena o reclama algo. <narración>

(96) 똑같다 [ttokgatda]

igual, equitativo, mismo, equivalente

Que comparten exactamente la misma forma, cantidad o cualidad entre sí.

저와 똑같은 이름을 가진 사람들이 많아요.
jeowa ttokgateun ireumeul gajin saramdeuri manayo.

저+와 똑같+은 이름+을 가지+ㄴ 사람+들+이 많+아요.
가진

저 : yo
와 : Posposición que se usa para indicar el objeto de comparación o criterio.
똑같다 : igual, equitativo, mismo, equivalente
-은 : Desinencia que hace que la palabra antecedente ejerza la función de un componente determinante, e indica que el estado del presente.
이름 : nombre
을 : Posposición que se usa para indicar el objeto que ha sido influido directamente por una acción.
가지다 : tener
-ㄴ : Desinencia que hace que la palabra antecedente ejerza la función de una palabra determinante, e indica que un suceso o una acción se mantiene en el mismo estado que cuando concluyó en un momento del pasado.
사람 : persona, hombre, ser humano
들 : Sufijo que añade el significado de 'plural'.
이 : Posposición que se usa para indicar el objeto de cierto estado o situación o el agente de un movimiento.
많다 : mucho, generoso, abundante, satisfactorio, cuantioso
-아요 : (TRATAMIENTO HONORÍFICO GENERAL) Desinencia de terminación que se usa cuando se describe cierto hecho; o pregunta, ordena o reclama algo. <narración>

(97) 멋있다 [meoditda]

elegante, fino, de buen gusto

Muy bueno o excelente.

새로 산 옷인데 <u>멋있어요</u>?

saero san osinde meosisseoyo?

새로 <u>사+ㄴ</u> <u>옷+이+ㄴ데</u> 멋있+어요?
산 옷인데

새로 : nuevamente
사다 : comprar, adquirir, obtener
-ㄴ : Desinencia que hace que la palabra antecedente ejerza la función de una palabra determinante, e indica que un suceso o una acción se mantiene en el mismo estado que cuando concluyó en un momento del pasado.
옷 : ropa, prenda, indumentaria
이다 : Posposición de caso atributivo, que se usa para designar el atributo o la clase del objeto al que se refiere el sujeto.
-ㄴ데 : Desinencia conectora que se usa cuando se habla de antemano una circunstancia relacionada con ese objeto para hablar de la palabra posterior.
멋있다 : elegante, fino, de buen gusto
-어요 : (TRATAMIENTO HONORÍFICO GENERAL) Desinencia de terminación que se usa cuando se describe cierto hecho; o pregunta, ordena o reclama algo. <pregunta>

(98) 비슷하다 [biseutada]

parecido, afín, análogo, símil, similar

Que no son exactamente iguales en su tamaño, forma, estado, naturaleza, etc. pero comparten muchas

학교 건물이 모두 <u>비슷해요</u>.

hakgyo geonmuri modu biseutaeyo.

학교 건물+이 모두 <u>비슷하+여요</u>.
비슷해요

학교 : escuela, colegio
건물 : edificio

이 : Posposición que se usa para indicar el objeto de cierto estado o situación o el agente de un movimiento.
모두 : todo, todos, totalmente, enteramente, completamente
비슷하다 : parecido, afín, análogo, símil, similar
-여요 : (TRATAMIENTO HONORÍFICO GENERAL) Desinencia de terminación que se usa cuando se describe cierto hecho; o pregunta, ordena o reclama algo. <narración>

(99) 얇다 [yalda]

fino, delgado, estrecho

Que no es grueso el espesor.

얇은 옷을 입고 나와서 좀 추워요.
yalbeun oseul ipgo nawaseo jom chuwoyo.

얇+은 옷+을 입+고 나오+아서 좀 춥(추우)+어요.
나와서 추워요

얇다 : fino, delgado, estrecho
-은 : Desinencia que hace que la palabra antecedente ejerza la función de un componente determinante, e indica que el estado del presente.
옷 : ropa, prenda, indumentaria
을 : Posposición que se usa para indicar el objeto que ha sido influido directamente por una acción.
입다 : vestirse
-고 : Desinencia conectora que se usa cuando la acción y su resultado que indica la palabra anterior siguen igual que durante el desarrollo de la acción que viene después.
나오다 : salir, partir, marchar, ausentarse
-아서 : Desinencia conectora que se usa para indicar causa o fundamento.
좀 : de bajo nivel o poca cantidad
춥다 : frío
-어요 : (TRATAMIENTO HONORÍFICO GENERAL) Desinencia de terminación que se usa cuando se describe cierto hecho; o pregunta, ordena o reclama algo. <narración>

(100) 작다 [jakda]

pequeño, chico, diminuto

Que es menos que lo normal o con respecto a otra cosa en largo, ancho o volumen.

언니는 키가 저보다 작아요.
eonnineun kiga jeoboda jagayo.

언니+는 키+가 저+보다 작+아요.

언니 : eonni, hermana mayor
는 : Posposición que se usa para indicar que cierto objeto es tópico en la oración.
키 : estatura, altura
가 : Posposición que se usa para indicar el objeto de cierto estado o situación o el agente de un movimiento.
저 : yo
보다 : Posposición que indica el ser objeto de comparación en caso de paragonar la diferencia entre los dos.
작다 : pequeño, chico, diminuto
-아요 : (TRATAMIENTO HONORÍFICO GENERAL) Desinencia de terminación que se usa cuando se describe cierto hecho; o pregunta, ordena o reclama algo. <narración>

(101) 좁다 [jopda]

angosto, pequeño, estrecho, reducido

Que es pequeña la dimensión de una superficie o un suelo.

여기는 주차장이 좁아요.
yeogineun juchajangi jobayo.

여기+는 주차장+이 좁+아요.

여기 : aquí, acá
는 : Posposición que se usa para indicar que cierto objeto es tópico en la oración.
주차장 : estacionamiento, aparcamiento, garaje
이 : Posposición que se usa para indicar el objeto de cierto estado o situación o el agente de un movimiento.
좁다 : angosto, pequeño, estrecho, reducido
-아요 : (TRATAMIENTO HONORÍFICO GENERAL) Desinencia de terminación que se usa cuando se describe cierto hecho; o pregunta, ordena o reclama algo. <narración>

(102) 짧다 [jjalda]

corto, estrecho

Que la distancia desde una punta a la otra de un espacio o un objeto es poca.

긴 머리를 짧게 잘랐어요.

gin meorireul jjalge jallasseoyo.

길(기)+ㄴ 머리+를 짧+게 자르(잘ㄹ)+았+어요.
긴 잘랐어요

길다 : largo, distanciado, apartado
-ㄴ : Desinencia que hace que la palabra antecedente ejerza la función de una palabra determinante, e indica el estado del presente.
머리 : cabello
를 : Posposición que indica el objeto que influye directamente en la acción.
짧다 : corto, estrecho
-게 : Desinencia conectora que se usa cuando la palabra anterior es el objetivo, resultado, método, grado, etc. que indica al posterior.
자르다 : cortar
-았- : Desinencia que se usa cuando cierto suceso fue acabado en el pasado o cuando el resultado de ese suceso continúa hasta el presente.
-어요 : (TRATAMIENTO HONORÍFICO GENERAL) Desinencia de terminación que se usa cuando se describe cierto hecho; o pregunta, ordena o reclama algo. <narración>

(103) 크다 [keuda]

grande, amplio, extenso

Que el largo, ancho, alto o volumen es superior a lo normal.

피자가 생각보다 훨씬 커요.

pijaga saenggakboda hwolssin keoyo.

피자+가 생각+보다 훨씬 크(ㅋ)+어요.
커요

피자 : pizza
가 : Posposición que se usa para indicar el objeto de cierto estado o situación o el agente de un movimiento.

생각 : imaginación
보다 : Posposición que indica el ser objeto de comparación en caso de paragonar la diferencia entre los dos.
훨씬 : mucho más
크다 : grande, amplio, extenso
-어요 : (TRATAMIENTO HONORÍFICO GENERAL) Desinencia de terminación que se usa cuando se describe cierto hecho; o pregunta, ordena o reclama algo. <narración>

(104) 화려하다 [hwaryeohada]

espléndido, elegante

Que está bello, hermoso, brillante y agradable a los ojos.

방 안을 화려하게 꾸몄어요.
bang aneul hwaryeohage kkumyeosseoyo.

방 안+을 화려하+게 꾸미+었+어요.
꾸몄어요

방 : habitación, cuarto
안 : interior
을 : Posposición que se usa para indicar el objeto que ha sido influido directamente por una acción.
화려하다 : espléndido, elegante
-게 : Desinencia conectora que se usa cuando la palabra anterior es el objetivo, resultado, método, grado, etc. que indica al posterior.
꾸미다 : adornar, adornar, ornamentar, ornar, embellecer, hermosear, aderezar, ataviar, engalanar
-었- : Desinencia que se usa cuando cierto suceso fue acabado en el pasado o cuando el resultado de ese suceso continúa hasta el presente.
-어요 : (TRATAMIENTO HONORÍFICO GENERAL) Desinencia de terminación que se usa cuando se describe cierto hecho; o pregunta, ordena o reclama algo. <narración>

(105) 가볍다 [gabyeopda]

liviano, ligero

Que pesa poco.

이 노트북은 아주 가벼워요.
i noteubugeun aju gabyeowoyo.

이 노트북+은 아주 가볍(가벼우)+어요.
가벼워요

이 : este
노트북 : computadora personal, computadora portátil
은 : Posposición que se usa para indicar que cierto objeto es tópico en la oración.
아주 : muy, mucho, completamente, totalmente
가볍다 : liviano, ligero
-어요 : (TRATAMIENTO HONORÍFICO GENERAL) Desinencia de terminación que se usa cuando se describe cierto hecho; o pregunta, ordena o reclama algo. <narración>

(106) 강하다 [ganghada]

fuerte, vigoroso, robusto, poderoso

Que tiene gran fuerza.

오늘은 바람이 강하게 불고 있어요.
oneureun barami ganghage bulgo isseoyo.

오늘+은 바람+이 강하+게 불+[고 있]+어요.

오늘 : hoy
은 : Posposición que se usa para indicar que cierto objeto es tópico en la oración.
바람 : viento
이 : Posposición que se usa para indicar el objeto de cierto estado o situación o el agente de un movimiento.
강하다 : fuerte, vigoroso, robusto, poderoso
-게 : Desinencia conectora que se usa cuando la palabra anterior es el objetivo, resultado, método, grado, etc. que indica al posterior.
불다 :
-고 있다 : Expresión que indica que la acción que representa la parte anterior de la cláusula continúa.
-어요 : (TRATAMIENTO HONORÍFICO GENERAL) Desinencia de terminación que se usa cuando se describe cierto hecho; o pregunta, ordena o reclama algo. <narración>

(107) 무겁다 [mugeopda]

pesado

Que pesa mucho

저는 보기보다 무거워요.
jeoneun bogiboda mugeowoyo.

저+는 보+기+보다 무겁(무거우)+어요.
무거워요

저 : yo
는 : Posposición que se usa para indicar que cierto objeto es tópico en la oración.
보다 : ver, mirar, observar
-기 : Desinencia que se usa cuando la palabra anterior ejerce la función del sustantivo.
보다 : Posposición que indica el ser objeto de comparación en caso de paragonar la diferencia entre los dos.
무겁다 : pesado
-어요 : (TRATAMIENTO HONORÍFICO GENERAL) Desinencia de terminación que se usa cuando se describe cierto hecho; o pregunta, ordena o reclama algo. <narración>

(108) 부드럽다 [budeureopda]

terso, suave

Que no se siente áspero ni duro en la piel sino terso.

이 운동화는 가볍고 안쪽이 부드러워요.
i undonghwaneun gabyeopgo anjjogi budeureowoyo.

이 운동화+는 가볍+고 안쪽+이 부드럽(부드러우)+어요.
부드러워요

이 : este
운동화 : zapatillas de deporte
는 : Posposición que se usa para indicar que cierto objeto es tópico en la oración.
가볍다 : liviano, ligero
-고 : Desinencia conectora que se usa cuando se enumeran más de dos hechos similares.
안쪽 : interior
이 : Posposición que se usa para indicar el objeto de cierto estado o situación o el agente de un movimiento.
부드럽다 : terso, suave
-어요 : (TRATAMIENTO HONORÍFICO GENERAL) Desinencia de terminación que se usa cuando se describe cierto hecho; o pregunta, ordena o reclama algo. <narración>

(109) 새롭다 [saeropda]

nuevo

Diferido de algo que había antes o algo que no había antes.

요즘 <u>새로운</u> 취미가 생겼어요?

yojeum saeroun chwimiga saenggyeosseoyo?

요즘 <u>새롭(새로우)+ㄴ</u> 취미+가 <u>생기+었+어요</u>?

새로운 생겼어요

요즘 : estos días

새롭다 : nuevo

-ㄴ : Desinencia que hace que la palabra antecedente ejerza la función de una palabra determinante, e indica el estado del presente.

취미 : afición, pasatiempo, hobby

가 : Posposición que se usa para indicar el objeto de cierto estado o situación o el agente de un movimiento.

생기다 : crearse, producirse, fundarse, establecerse

-었- : Desinencia que se usa cuando cierto suceso fue acabado en el pasado o cuando el resultado de ese suceso continúa hasta el presente.

-어요 : (TRATAMIENTO HONORÍFICO GENERAL) Desinencia de terminación que se usa cuando se describe cierto hecho; o pregunta, ordena o reclama algo. <pregunta>

(110) 느리다 [neurida]

lento, despacio

Que tarda mucho tiempo en ejecutar una determinada acción.

저는 걸음이 <u>느려요</u>.

jeoneun georeumi neuryeoyo.

저+는 걸음+이 <u>느리+어요</u>.

느려요

저 : yo

는 : Posposición que se usa para indicar que cierto objeto es tópico en la oración.

걸음 : paso

이 : Posposición que se usa para indicar el objeto de cierto estado o situación o el agente de un movimiento.
느리다 : lento, despacio
-어요 : (TRATAMIENTO HONORÍFICO GENERAL) Desinencia de terminación que se usa cuando se describe cierto hecho; o pregunta, ordena o reclama algo. <narración>

(111) 빠르다 [ppareuda]

rápido, veloz, acelerado, ligero, breve

Que se tarda poco tiempo en realizar determinado movimiento o actividad.

제 친구는 말이 너무 빨라요.
je chinguneun mari neomu ppallayo.

저+의 친구+는 말+이 너무 빠르(빨ㄹ)+아요.
제 빨라요

저 : yo
의 : Posposición que se usa para indicar que la palabra anterior tiene una relación de posesión, pertenencia, integración, conexión, procedencia, sujeto con la posterior.
친구 : amigo
는 : Posposición que se usa para indicar que cierto objeto es tópico en la oración.
말 : habla, palabra
이 : Posposición que se usa para indicar el objeto de cierto estado o situación o el agente de un movimiento.
너무 : demasiado, excesivamente
빠르다 : rápido, veloz, acelerado, ligero, breve
-아요 : (TRATAMIENTO HONORÍFICO GENERAL) Desinencia de terminación que se usa cuando se describe cierto hecho; o pregunta, ordena o reclama algo. <narración>

(112) 뜨겁다 [tteugeopda]

caliente, cálido, caluroso

Que presenta temperatura alta.

국물이 뜨거우니 조심하세요.
gungmuri tteugeouni josimhaseyo.

국물+이 <u>뜨겁(뜨거우)+니</u> 조심하+세요.
뜨거우니

국물 : sopa, caldo
이 : Posposición que se usa para indicar el objeto de cierto estado o situación o el agente de un movimiento.
뜨겁다 : caliente, cálido, caluroso
-니 : Desinencia conectora que se usa cuando la palabra anterior es una causa, fundamento o premisa de la palabra posterior.
조심하다 : cuidarse, tener precaución, tener cautela
-세요 : (TRATAMIENTO HONORÍFICO GENERAL) Desinencia de terminación que se usa cuando se manifiesta el sentido de explicación, duda, orden, reclamación, etc. <orden>

(113) 차갑다 [chagapda]

fío

Que se siente frío al tener contacto con la piel.

이 물은 <u>차갑지</u> 않아요.
i mureun chagapji anayo.

이 물+은 차갑+[지 않]+아요.

이 : este
물 : agua
은 : Posposición que se usa para indicar que cierto objeto es tópico en la oración.
차갑다 : frío
-지 않다 : Expresión para negar la acción o la situación de lo que se mencionó anteriormente.
-아요 : (TRATAMIENTO HONORÍFICO GENERAL) Desinencia de terminación que se usa cuando se describe cierto hecho; o pregunta, ordena o reclama algo. <narración>

(114) 차다 [chada]

frío, fresco, gélido

Que no hay calidez por la baja temperatura.

저는 손이 찬 편이에요.
jeoneun soni chan pyeonieyo.

저+는 손+이 차+[ㄴ 편이]+에요.
찬 편이에요

저 : yo
는 : Posposición que se usa para indicar que cierto objeto es tópico en la oración.
손 : mano
이 : Posposición que se usa para indicar el objeto de cierto estado o situación o el agente de un movimiento.
차다 : frío, fresco, gélido
-ㄴ 편이다 : Expresión que se usa para decir que algo se asemeja más bien a otra cosa, en vez de hablar decisivamente.
-에요 : (TRATAMIENTO HONORÍFICO GENERAL) Desinencia de terminación que se usa cuando se describe o interroga cierto hecho. <narración>

(115) 밝다 [bakda]

brillante, luminoso

Dícese de un objeto: que emite luces muy brillantes.

조명이 너무 밝아서 눈이 부셔요.
jomyeongi neomu balgaseo nuni busyeoyo.

조명+이 너무 밝+아서 눈+이 부시+어요.
부셔요

조명 : iluminación
이 : Posposición que se usa para indicar el objeto de cierto estado o situación o el agente de un movimiento.
너무 : demasiado, excesivamente
밝다 : brillante, luminoso
-아서 : Desinencia conectora que se usa para indicar causa o fundamento.
눈 : ojo
이 : Posposición que se usa para indicar el objeto de cierto estado o situación o el agente de un movimiento.
부시다 : deslumbrante, cegador, resplandeciente
-어요 : (TRATAMIENTO HONORÍFICO GENERAL) Desinencia de terminación que se usa cuando se describe cierto hecho; o pregunta, ordena o reclama algo. <narración>

(116) 어둡다 [eodupda]

oscuro

Que carece de luz o claridad.

해가 져서 밖이 <u>어두워요</u>.
haega jeoseo bakki eoduwoyo.

해+가 <u>지+어서</u> 밖+이 <u>어둡(어두우)+어요</u>.
져서 어두워요

해 : sol
가 : Posposición que se usa para indicar el objeto de cierto estado o situación o el agente de un movimiento.
지다 : caer, ponerse
-어서 : Desinencia conectora que se usa para indicar causa o fundamento.
밖 : Espacio que no se encuentra rodeado por algo.
이 : Posposición que se usa para indicar el objeto de cierto estado o situación o el agente de un movimiento.
어둡다 : oscuro
-어요 : (TRATAMIENTO HONORÍFICO GENERAL) Desinencia de terminación que se usa cuando se describe cierto hecho; o pregunta, ordena o reclama algo. <narración>

(117) 까맣다 [kkamata]

negro, oscuro

Muy negro como el cielo nocturno sin luz alguna.

머리를 <u>까맣게</u> 염색했어요.
meorireul kkamake yeomsaekaesseoyo.

머리+를 까맣+게 <u>염색하+였+어요</u>.
염색했어요

머리 : cabello
를 : Posposición que indica el objeto que influye directamente en la acción.
까맣다 : negro, oscuro
-게 : Desinencia conectora que se usa cuando la palabra anterior es el objetivo, resultado, método, grado, etc. que indica al posterior.

염색하다 : teñir, colorear
-였- : Desinencia que se usa cuando cierto suceso fue acabado en el pasado o cuando el resultado de ese suceso continúa hasta el presente.
-어요 : (TRATAMIENTO HONORÍFICO GENERAL) Desinencia de terminación que se usa cuando se describe cierto hecho; o pregunta, ordena o reclama algo. <narración>

(118) 검다 [geomda]

negro

Que tiene un color tan oscuro que parece un cielo sin luz a media noche.

햇볕에 살이 검게 탔어요.

haetbyeote sari geomge tasseoyo.

햇볕+에 살+이 검+게 타+았+어요.
탔어요

햇볕 : luz del sol, sol
에 : Posposición que se usa cuando la palabra anterior indica la causa de algo.
살 : cuero
이 : Posposición que se usa para indicar el objeto de cierto estado o situación o el agente de un movimiento.
검다 : negro
-게 : Desinencia conectora que se usa cuando la palabra anterior es el objetivo, resultado, método, grado, etc. que indica al posterior.
타다 : broncear, quemar
-았- : Desinencia que se usa cuando cierto suceso fue acabado en el pasado o cuando el resultado de ese suceso continúa hasta el presente.
-어요 : (TRATAMIENTO HONORÍFICO GENERAL) Desinencia de terminación que se usa cuando se describe cierto hecho; o pregunta, ordena o reclama algo. <narración>

(119) 노랗다 [norata]

amarillo

Que es el mismo color que el plátano o el limón.

저 사람은 머리 색깔이 노래요.

jeo sarameun meori saekkkari noraeyo.

저 사람+은 머리 색깔+이 노랗+아요.
노래요

저 : aquel, aquella
사람 : persona, hombre, ser humano
은 : Posposición que se usa para indicar que cierto objeto es tópico en la oración.
머리 : cabello
색깔 : color
이 : Posposición que se usa para indicar el objeto de cierto estado o situación o el agente de un movimiento.
노랗다 : amarillo
-아요 : (TRATAMIENTO HONORÍFICO GENERAL) Desinencia de terminación que se usa cuando se describe cierto hecho; o pregunta, ordena o reclama algo. <narración>

(120) 붉다 [bukda]

rojo, colorado, carmesí

Que tiene un color parecido al de la sangre o el guindillo maduro.

붉은 태양이 떠오르고 있어요.
bulgeun taeyangi tteooreugo isseoyo.

붉+은 태양+이 떠오르+[고 있]+어요.

붉다 : rojo, colorado, carmesí
-은 : Desinencia que hace que la palabra antecedente ejerza la función de un componente determinante, e indica que el estado del presente.
태양 : sol
이 : Posposición que se usa para indicar el objeto de cierto estado o situación o el agente de un movimiento.
떠오르다 : elevarse
-고 있다 : Expresión que indica que la acción que representa la parte anterior de la cláusula continúa.
-어요 : (TRATAMIENTO HONORÍFICO GENERAL) Desinencia de terminación que se usa cuando se describe cierto hecho; o pregunta, ordena o reclama algo. <narración>

(121) 빨갛다 [ppalgata]

rojo, colorado, carmesí

Que tiene un color rojo brillante e intenso, parecido al de la sangre o el guindillo maduro.

코가 왜 이렇게 빨개요?
koga wae ireoke ppalgaeyo?

코+가 왜 이렇+게 빨갛+아요?
빨개요

코 : nariz
가 : Posposición que se usa para indicar el objeto de cierto estado o situación o el agente de un movimiento.
왜 : por qué, porque
이렇다 : tal
-게 : Desinencia conectora que se usa cuando la palabra anterior es el objetivo, resultado, método, grado, etc. que indica al posterior.
빨갛다 : rojo, colorado, carmesí
-아요 : (TRATAMIENTO HONORÍFICO GENERAL) Desinencia de terminación que se usa cuando se describe cierto hecho; o pregunta, ordena o reclama algo. <pregunta>

(122) 파랗다 [parata]

azul

Azul tan brillante y claro como el cielo otoñal despejado o el mar profundo.

왜 이마에 멍이 파랗게 들었어요?
wae imae meongi parake deureosseoyo?

왜 이마+에 멍+이 파랗+게 들+었+어요?

왜 : por qué, porque
이마 : frente
에 : Posposición que se usa cuando la palabra anterior indica cierto lugar o sitio.
멍 : moretón, moratón, contusión, moradura, cardenal
이 : Posposición que se usa para indicar el objeto de cierto estado o situación o el agente de un movimiento.
파랗다 : azul
-게 : Desinencia conectora que se usa cuando la palabra anterior es el objetivo, resultado, método, grado, etc. que indica al posterior.
들다 : enfermarse
-었- : Desinencia que se usa cuando cierto suceso fue acabado en el pasado o cuando el resultado de ese suceso continúa hasta el presente.

-어요 : (TRATAMIENTO HONORÍFICO GENERAL) Desinencia de terminación que se usa cuando se describe cierto hecho; o pregunta, ordena o reclama algo. <pregunta>

(123) 푸르다 [pureuda]

azul, verde

Tan claro y nítido como el cielo otoñal claro, el mar profundo, o una planta fresca.

바다가 넓고 푸르러요.

badaga neolgo pureureoyo.

바다+가 넓+고 푸르+어요(러요).

푸르러요

바다 : mar

가 : Posposición que se usa para indicar el objeto de cierto estado o situación o el agente de un movimiento.

넓다 : ancho, extenso, espacioso, vasto

-고 : Desinencia conectora que se usa cuando se enumeran más de dos hechos similares.

푸르다 : azul, verde

-어요 : (TRATAMIENTO HONORÍFICO GENERAL) Desinencia de terminación que se usa cuando se describe cierto hecho; o pregunta, ordena o reclama algo. <narración>

(124) 하얗다 [hayata]

blanco

Que tiene un color claro y nítido, como el de la nieve o la leche.

눈이 내려서 세상이 하얗게 변했어요.

nuni naeryeoseo sesangi hayake byeonhaesseoyo.

눈+이 내리+어서 세상+이 하얗+게 변하+였+어요.

내려서 변했어요

눈 : nieve

이 : Posposición que se usa para indicar el objeto de cierto estado o situación o el agente de un movimiento.

내리다 : caer, llover, nevar, rociar
-어서 : Desinencia conectora que se usa para indicar causa o fundamento.
세상 : mundo
이 : Posposición que se usa para indicar el objeto de cierto estado o situación o el agente de un movimiento.
하얗다 : blanco
-게 : Desinencia conectora que se usa cuando la palabra anterior es el objetivo, resultado, método, grado, etc. que indica al posterior.
변하다 : cambiarse, mudarse, alterarse, variarse
-였- : Desinencia que se usa cuando cierto suceso fue acabado en el pasado o cuando el resultado de ese suceso continúa hasta el presente.
-어요 : (TRATAMIENTO HONORÍFICO GENERAL) Desinencia de terminación que se usa cuando se describe cierto hecho; o pregunta, ordena o reclama algo. <narración>

(125) 희다 [hida]

blanco

Que tiene un color claro y nítido como el de la nieve o la leche.

동생은 얼굴이 <u>희고</u> 머리카락이 까매요.
dongsaengeun eolguri huigo meorikaragi kkamaeyo.

동생+은 얼굴+이 희+고 머리카락+이 <u>까맣+아요</u>.
까매요

동생 : dongsaeng, hermano menor
은 : Posposición que se usa para indicar que cierto objeto es tópico en la oración.
얼굴 : rostro, cara
이 : Posposición que se usa para indicar el objeto de cierto estado o situación o el agente de un movimiento.
희다 : blanco
-고 : Desinencia conectora que se usa cuando se enumeran más de dos hechos similares.
머리카락 : cabello, pelo
이 : Posposición que se usa para indicar el objeto de cierto estado o situación o el agente de un movimiento.
까맣다 : negro, oscuro
-아요 : (TRATAMIENTO HONORÍFICO GENERAL) Desinencia de terminación que se usa cuando se describe cierto hecho; o pregunta, ordena o reclama algo. <narración>

(126) 많다 [manta]

mucho, generoso, abundante, satisfactorio, cuantioso

Que supera un determinado criterio en número, cantidad o nivel.

저는 호기심이 <u>많아요</u>.

jeoneun hogisimi manayo.

저+는 호기심+이 많+아요.

저 : yo
는 : Posposición que se usa para indicar que cierto objeto es tópico en la oración.
호기심 : curiosidad
이 : Posposición que se usa para indicar el objeto de cierto estado o situación o el agente de un movimiento.
많다 : mucho, generoso, abundante, satisfactorio, cuantioso
-아요 : (TRATAMIENTO HONORÍFICO GENERAL) Desinencia de terminación que se usa cuando se describe cierto hecho; o pregunta, ordena o reclama algo. <narración>

(127) 부족하다 [bujokada]

escaso, insuficiente, deficiente, exiguo

Que no satisface la cantidad o el criterio necesario.

사업을 하기에 돈이 많이 <u>부족해요</u>.

saeobeul hagie doni mani bujokaeyo.

사업+을 하+기+에 돈+이 많이 <u>부족하+여요</u>.
부족해요

사업 : negocio, empresa
을 : Posposición que se usa para indicar el objeto que ha sido influido directamente por una acción.
하다 : hacer, realizar
-기 : Desinencia que se usa cuando la palabra anterior ejerce la función del sustantivo.
에 : Posposición que se usa cuando la palabra anterior es una condición, ambiente, estado, etc. de algo.
돈 : dinero, plata
이 : Posposición que se usa para indicar el objeto de cierto estado o situación o el agente de un movimiento.
많이 : mucho, abundantemente, copiosamente

부족하다 : escaso, insuficiente, deficiente, exiguo
-여요 : (TRATAMIENTO HONORÍFICO GENERAL) Desinencia de terminación que se usa cuando se describe cierto hecho; o pregunta, ordena o reclama algo. <narración>

(128) 적다 [jeokda]

poco, escaso, exiguo, insuficiente

Que el número, la cantidad o el grado no llega a cierto criterio.

배고픈데 음식 양이 너무 적어요.
baegopeunde eumsik yangi neomu jeogeoyo.

배고프+ㄴ데 음식 양+이 너무 적+어요.
배고픈데

배고프다 : hambriento, famélico
-ㄴ데 : Desinencia conectora que se usa cuando se habla de antemano una circunstancia relacionada con ese objeto para hablar de la palabra posterior.
음식 : alimento, comida
양 : cantidad
이 : Posposición que se usa para indicar el objeto de cierto estado o situación o el agente de un movimiento.
너무 : demasiado, excesivamente
적다 : poco, escaso, exiguo, insuficiente
-어요 : (TRATAMIENTO HONORÍFICO GENERAL) Desinencia de terminación que se usa cuando se describe cierto hecho; o pregunta, ordena o reclama algo. <narración>

(129) 낫다 [natda]

mejor

Que es superior o preferible a otro.

몸이 아플 때에는 쉬는 것이 제일 나아요.
momi apeul ttaeeneun swineun geosi jeil naayo.

몸+이 아프+[ㄹ 때]+에+는 쉬+[는 것]+이 제일 낫(나)+아요.
아플 때에는 나아요

몸 : cuerpo
이 : Posposición que se usa para indicar el objeto de cierto estado o situación o el agente de un movimiento.
아프다 : doloroso, dolorido
-ㄹ 때 : Expresión que indica el surgimiento de un mismo hecho o de algo en un mismo tiempo, mientras surge alguna situación o se realiza alguna acción.
에 : Posposición que se usa cuando la palabra anterior indica hora o tiempo.
는 : Posposición que muestra que el referente es el tópico de una oración.
쉬다 : reposar, dormir, relajarse, echarse
-는 것 : Expresión que se usa para hacer que una palabra que no es sustantivo sea utilizada como tal en una oración, o para hacer que se use delante de '이다'.
이 : Posposición que se usa para indicar el objeto de cierto estado o situación o el agente de un movimiento.
제일 : primeramente
낫다 : mejor
-아요 : (TRATAMIENTO HONORÍFICO GENERAL) Desinencia de terminación que se usa cuando se describe cierto hecho; o pregunta, ordena o reclama algo. <narración>

(130) 분명하다 [bunmyeonghada]

claro, nítido

Dícese de la forma o el sonido de algo: Que no es vago sino distinto.

크고 분명한 목소리로 말해 주세요.
keugo bunmyeonghan moksoriro malhae juseyo.

크+고 분명하+ㄴ 목소리+로 말하+[여 주]+세요.
분명한 말해 주세요

크다 : fuerte, intenso
-고 : Desinencia conectora que se usa cuando se enumeran más de dos hechos similares.
분명하다 : claro, nítido
-ㄴ : Desinencia que hace que la palabra antecedente ejerza la función de una palabra determinante, e indica el estado del presente.
목소리 : voz
로 : Posposición que indica el método o la forma de cierto lugar.
말하다 : decir
-여 주다 : Expresión que indica la realización de una acción que indica el comentario anterior para el bien del otro.
-세요 : (TRATAMIENTO HONORÍFICO GENERAL) Desinencia de terminación que se usa cuando se manifiesta el sentido de explicación, duda, orden, reclamación, etc. <petición>

(131) 심하다 [simhada]

grave, exagerado, desmesurado

Que es excesivo.

감기에 심하게 걸렸어요.
gamgie simhage geollyeosseoyo.

감기+에 심하+게 걸리+었+어요.
걸렸어요

감기 : resfriado, catarro, gripe
에 : Posposición que se usa cuando la palabra anterior es objeto de cierta acción, sentimiento, etc.
심하다 : grave, exagerado, desmesurado
-게 : Desinencia conectora que se usa cuando la palabra anterior es el objetivo, resultado, método, grado, etc. que indica al posterior.
걸리다 : enfermarse
-었- : Desinencia que se usa cuando cierto suceso fue acabado en el pasado o cuando el resultado de ese suceso continúa hasta el presente.
-어요 : (TRATAMIENTO HONORÍFICO GENERAL) Desinencia de terminación que se usa cuando se describe cierto hecho; o pregunta, ordena o reclama algo. <narración>

(132) 알맞다 [almatda]

adecuado, apropiado, apto, conveniente, oportuno

Que satisface adecuadamente determinado criterio, condición o nivel, sin insuficiencia ni exceso.

물 온도가 목욕하기에 딱 알맞아요.
mul ondoga mogyokagie ttak almajayo.

물 온도+가 목욕하+기+에 딱 알맞+아요.

물 : agua
온도 : temperatura
가 : Posposición que se usa para indicar el objeto de cierto estado o situación o el agente de un movimiento.
목욕하다 : bañarse
-기 : Desinencia que se usa cuando la palabra anterior ejerce la función del sustantivo.
에 : Posposición que se usa cuando la palabra anterior es una condición, ambiente, estado, etc. de algo.
딱 : justo, exactamente, precisamente

알맞다 : adecuado, apropiado, apto, conveniente, oportuno
-아요 : (TRATAMIENTO HONORÍFICO GENERAL) Desinencia de terminación que se usa cuando se describe cierto hecho; o pregunta, ordena o reclama algo. <narración>

(133) 적당하다 [jeokdanghada]

adecuado, apropiado, oportuno, correcto

Que es propio para un determinado criterio, condición, grado, etc.

하루 수면 시간은 일곱 시간 정도가 적당해요.
haru sumyeon siganeun ilgop sigan jeongdoga jeokdanghaeyo.

하루 수면 시간+은 일곱 시간 정도+가 적당하+여요.
적당해요

하루 : día
수면 : sueño
시간 : tiempo
은 : Posposición que se usa para indicar que cierto objeto es tópico en la oración.
일곱 : siete
시간 : hora
정도 : grado
가 : Posposición que se usa para indicar el objeto de cierto estado o situación o el agente de un movimiento.
적당하다 : adecuado, apropiado, oportuno, correcto
-여요 : (TRATAMIENTO HONORÍFICO GENERAL) Desinencia de terminación que se usa cuando se describe cierto hecho; o pregunta, ordena o reclama algo. <narración>

(134) 정확하다 [jeonghwakada]

correcto, exacto, justo, puntual, preciso

Que es exacto y seguro.

정확한 한국어 발음을 하고 싶어요.
jeonghwakan hangugeo bareumeul hago sipeoyo.

정확하+ㄴ 한국어 발음+을 하+[고 싶]+어요.
정확한

정확하다 : correcto, exacto, justo, puntual, preciso
-ㄴ : Desinencia que hace que la palabra antecedente ejerza la función de una palabra determinante, e indica el estado del presente.
한국어 : idioma coreano, lengua coreana
발음 : pronunciación
을 : Posposición que se usa para indicar el objeto que ha sido influido directamente por una acción.
하다 : hacer, realizar
-고 싶다 : Expresión que se usa para mostrar el deseo de hacer un acto que representa el comentario anterior de la cláusula.
-어요 : (TRATAMIENTO HONORÍFICO GENERAL) Desinencia de terminación que se usa cuando se describe cierto hecho; o pregunta, ordena o reclama algo. <narración>

(135) 중요하다 [jungyohada]

importante, necesario, imprescindible, esencial, crucial

Que es valioso y muy necesario.

살을 뺄 때는 운동이 중요해요.
sareul ppael ttaeneun undongi jungyohaeyo.

살+을 빼+[ㄹ 때]+는 운동+이 중요하+여요.
뺄 때는 중요해요

살 : piel, carne, cutis
을 : Posposición que se usa para indicar el objeto que ha sido influido directamente por una acción.
빼다 : adelgazar
-ㄹ 때 : Expresión que indica el surgimiento de un mismo hecho o de algo en un mismo tiempo, mientras surge alguna situación o se realiza alguna acción.
는 : Posposición que muestra que el referente es el tópico de una oración.
운동 : ejercitación, ejercicio
이 : Posposición que se usa para indicar el objeto de cierto estado o situación o el agente de un movimiento.
중요하다 : importante, necesario, imprescindible, esencial, crucial
-여요 : (TRATAMIENTO HONORÍFICO GENERAL) Desinencia de terminación que se usa cuando se describe cierto hecho; o pregunta, ordena o reclama algo. <narración>

(136) 진하다 [jinhada]

puro, concentrado

Que es intenso el nivel de concentración de un líquido, sin ser aguado.

커피가 너무 진해요.
keopiga neomu jinhaeyo.

커피+가 너무 진하+여요.
진해요

커피 : café
가 : Posposición que se usa para indicar el objeto de cierto estado o situación o el agente de un movimiento.
너무 : demasiado, excesivamente
진하다 : puro, concentrado
-여요 : (TRATAMIENTO HONORÍFICO GENERAL) Desinencia de terminación que se usa cuando se describe cierto hecho; o pregunta, ordena o reclama algo. <narración>

(137) 충분하다 [chungbunhada]

suficiente, abundante

Que es suficiente y no falta.

저는 이 빵 하나면 충분해요.
jeoneun i ppang hanamyeon chungbunhaeyo.

저+는 이 빵 하나+이+면 충분하+여요.
하나면 충분해요

저 : yo
는 : Posposición que se usa para indicar que cierto objeto es tópico en la oración.
이 : este
빵 : pan
하나 : uno
이다 : Posposición de caso atributivo, que se usa para designar el atributo o la clase del objeto al que se refiere el sujeto.
-면 : Desinencia conectora que se usa cuando es un fundamento o condición del contenido posterior.
충분하다 : suficiente, abundante
-여요 : (TRATAMIENTO HONORÍFICO GENERAL) Desinencia de terminación que se usa cuando se describe cierto hecho; o pregunta, ordena o reclama algo. <narración>

필수(esencial)

문법(gramática)

1. 모음 : 사람이 목청을 울려 내는 소리로, 공기의 흐름이 방해를 받지 않고 나는 소리.

vocal
Sonido que emite el hombre a través de la vibración de la laringe, que suena sin interrumpirse por el paso del aire.

(1) ㅏ : 한글 자모의 열다섯째 글자. 이름은 '아'이고 중성으로 쓴다.

Décima quinta letra del hangul. Su nombre es '아' y es una vocal que se usa como sonidon intermedio de sílaba.

(2) ㅑ : 한글 자모의 열여섯째 글자. 이름은 '야'이고 중성으로 쓴다.

Decima sexta letra del hangul. Su nombre es '야' y es una vocal que se usa como sonido intermedio de sílaba.

(3) ㅓ : 한글 자모의 열일곱째 글자. 이름은 '어'이고 중성으로 쓴다.

Decima séptima letra del hangul. Su nombre es '어' y es una vocal que se usa como sonido intermedio de sílaba.

(4) ㅕ : 한글 자모의 열여덟째 글자. 이름은 '여'이고 중성으로 쓴다.

Decima octava letra del hangul. Su nombre es '여' y es una vocal que se usa como sonido intermedio de sílaba.

(5) ㅗ : 한글 자모의 열아홉째 글자. 이름은 '오'이고 중성으로 쓴다.

Decima novena letra del hangul. Su nombre es '오' y es una vocal que se usa como sonido intermedio de sílaba.

(6) ㅛ : 한글 자모의 스무째 글자. 이름은 '요'이고 중성으로 쓴다.

Vigésima letra del hangul. Su nombre es '요' y se usa como sonido intermedio de sílaba.

(7) ㅜ : 한글 자모의 스물한째 글자. 이름은 '우'이고 중성으로 쓴다.

Vigésima primera letra del hangul. Su nombre es '우' y es una vocal que se usa como sonido intermedio de sílaba.

(8) ㅠ : 한글 자모의 스물두째 글자. 이름은 '유'이고 중성으로 쓴다.

Vigésima segunda letra del hangul. Su nombre es '유' y es una vocal que se usa como sonido intermedio de sílaba.

(9) ㅡ : 한글 자모의 스물셋째 글자. 이름은 '으'이고 중성으로 쓴다.

Vigésima tercera letra del hangul. Su nombre es '으' y se usa como sonido intermedio de sílaba.

(10) ㅣ : 한글 자모의 스물넷째 글자. 이름은 '이'이고 중성으로 쓴다.

Vigésima cuarta letra del hangul. Su nombre es '이' y se usa como sonido intermedio de sílaba.

(11) ㅚ : 한글 자모 'ㅗ'와 'ㅣ'를 모아 쓴 글자. 이름은 '외'이고 중성으로 쓴다.

Letra creada por la unión de 'ㅗ' y 'ㅣ'. Su nombre es '외' y es una vocal que se usa como sonido intermedio de sílaba.

(12) ㅟ : 한글 자모 'ㅜ'와 'ㅣ'를 모아 쓴 글자. 이름은 '위'이고 중성으로 쓴다.

Letra creada por la unión de 'ㅜ' y 'ㅣ'. Su nombre es '위' y se usa como sonido intermedio de sílaba.

(13) ㅐ : 한글 자모 'ㅏ'와 'ㅣ'를 모아 쓴 글자. 이름은 '애'이고 중성으로 쓴다.

Letra creada por la unión de 'ㅏ' y 'ㅣ' del hangul. Su nombre es '애' y es una vocal que se usa como sonido intermedio de sílaba.

(14) ㅔ : 한글 자모 'ㅓ'와 'ㅣ'를 모아 쓴 글자. 이름은 '에'이고 중성으로 쓴다.

Letra creada por la unión de 'ㅓ' y 'ㅣ'. Su nombre es '에' y es una vocal que se usa como sonido intermedio de sílaba.

(15) ㅒ : 한글 자모 'ㅑ'와 'ㅣ'를 모아 쓴 글자. 이름은 '얘'이고 중성으로 쓴다.

Letra creada por la unión de 'ㅑ' y 'ㅣ'. Su nombre es '얘' y es una vocal que se usa como sonido intermedio de sílaba.

(16) ㅖ : 한글 자모 'ㅕ'와 'ㅣ'를 모아 쓴 글자. 이름은 '예'이고 중성으로 쓴다.

Letra creada por la unión de 'ㅕ' y 'ㅣ'. Su nombre es '예' y es una vocal que se usa como sonido intermedio de sílaba.

(17) ㅘ : 한글 자모 'ㅗ'와 'ㅏ'를 모아 쓴 글자. 이름은 '와'이고 중성으로 쓴다.

Letra creada por la unión de 'ㅗ' y 'ㅏ'. Su nombre es '와' y es una vocal que se usa como sonido intermedio de sílaba.

(18) ㅝ : 한글 자모 'ㅜ'와 'ㅓ'를 모아 쓴 글자. 이름은 '워'이고 중성으로 쓴다.

Letra creada por la unión de 'ㅜ' y 'ㅓ'. Su nombre es '워' y es una vocal que se usa como sonido intermedio de sílaba.

(19) ㅙ : 한글 자모 'ㅗ'와 'ㅐ'를 모아 쓴 글자. 이름은 '왜'이고 중성으로 쓴다.

Letra creada por la unión de 'ㅗ' y 'ㅐ'. Su nombre es '왜' y es una vocal que se usa como sonido intermedio de sílaba.

(20) ㅞ : 한글 자모 'ㅜ'와 'ㅔ'를 모아 쓴 글자. 이름은 '웨'이고 중성으로 쓴다.

Letra creada por la unión de 'ㅜ' y 'ㅔ'. Su nombre es '웨' y es una vocal que se usa como sonido intermedio de sílaba.

(21) ㅢ : 한글 자모 'ㅡ'와 'ㅣ'를 모아 쓴 글자. 이름은 '의'이고 중성으로 쓴다.

Letra creada por la unión de 'ㅡ' y 'ㅣ'. Su nombre es '의' y se usa como sonido intermedio de sílaba.

ㅏ	ㅓ	ㅗ	ㅜ	ㅡ	ㅣ	ㅐ	ㅔ	ㅚ	ㅟ

ㅑ	ㅕ	ㅛ	ㅠ	ㅒ	ㅖ	ㅘ	ㅝ	ㅙ	ㅞ	ㅢ

ㅣ + ㅏ = ㅑ　　ㅣ + ㅓ = ㅕ　　ㅣ + ㅗ = ㅛ　　ㅣ + ㅜ = ㅠ

ㅗ + ㅏ = ㅘ　　ㅜ + ㅓ = ㅝ　　ㅗ + ㅐ = ㅙ　　ㅜ + ㅔ = ㅞ

ㅡ + ㅣ = ㅢ

ㅏ	ㅑ	ㅓ	ㅕ	ㅗ	ㅛ	ㅜ	ㅠ	ㅡ	ㅣ
a	ya	eo	yeo	o	yo	u	yu	eu	i

ㅐ	ㅔ	ㅒ	ㅖ	ㅙ	ㅞ	ㅚ	ㅟ	ㅘ	ㅝ	ㅢ
ae	e	yae	ye	wae	we	oe	wi	wa	wo	ui

2. 자음 : 목, 입, 혀 등의 발음 기관에 의해 장애를 받으며 나는 소리.

consonante

Sonido que se pronuncia con la obstaculización de los órganos articulatorios tales como garganta, boca, lengua, etc.

(1) ㄱ : 한글 자모의 첫째 글자. 이름은 기역으로 소리를 낼 때 혀뿌리가 목구멍을 막는 모양을 본떠 만든 글자이다.

Primera letra del alfabeto coreano. Su nombre es giyeok y simboliza la forma en que la raíz de la lengua tapa la garganta al pronunciarla.

(2) ㄴ : 한글 자모의 둘째 글자. 이름은 '니은'으로 소리를 낼 때 혀끝이 윗잇몸에 붙는 모양을 본떠 만든 글자이다.

Segunda letra del alfabeto coreano. Su nombre es ´nieun´ y es la letra que simboliza la forma en que la punta de la lengua se sujeta a la encía superior al ser pronunciada dicha letra.

(3) ㄷ : 한글 자모의 셋째 글자. 이름은 '디귿'으로, 소리를 낼 때 혀의 모습은 'ㄴ'과 같지만 더 세게 발음되므로 한 획을 더해 만든 글자이다.

Tercera letra del alfabeto coreano. Su nombre es ´digeut´ y es la letra creada añadiendo un trazo más a ´ㄴ´, pues se pronuncia con mayor intensidad, aunque la forma en que la punta de la lengua se mueve al pronunciar es similar.

(4) ㄹ : 한글 자모의 넷째 글자. 이름은 '리을'로 혀끝을 윗잇몸에 가볍게 대었다가 떼면서 내는 소리를 나타낸다.

Cuarta letra del alfabeto coreano. Su nombre es ´lieul´ y representa el sonido que se pronuncia articulando la punta de la lengua ligeramente contra las encías superiores.

(5) ㅁ : 한글 자모의 다섯째 글자. 이름은 '미음'으로, 소리를 낼 때 다물어지는 두 입술 모양을 본떠서 만든 글자이다.

Quinta letra del alfabeto coreano. Su nombre es ´mieum´ y simboliza jeroglíficamente la forma en que se cierran los labios al pronunciar su sonido.

(6) ㅂ : 한글 자모의 여섯째 글자. 이름은 '비읍'으로, 소리를 낼 때의 입술 모양은 'ㅁ'과 같지만 더 세게 발음되므로 'ㅁ'에 획을 더해서 만든 글자이다.

Sexta letra del alfabeto coreano que lleva el nombre de ´bieup´. La forma en que se cierran los labios para pronunciarla es igual a la de la letra ´ㅁ´. Pero como dicha letra suena más fuerte que ésta última, se le ha añadido una raya a ´ㅁ´ para representar la diferencia en la pronunciación.

(7) ㅅ : 한글 자모의 일곱째 글자. 이름은 '시옷'으로 이의 모양을 본떠서 만든 글자이다.

Séptima letra del consonante del alfabeto coreano. Su nombre es siot y es una letra creada en base a la forma del diente.

(8) ㅇ : 한글 자모의 여덟째 글자. 이름은 '이응'으로 목구멍의 모양을 본떠서 만든 글자이다. 초성으로 쓰일 때 소리가 없다.

Octava letra del alfabeto coreano. Su nombre es "ieung" y fue creada imitando la forma de una garganta. Y no representa sonido alguno si se utiliza como sonido inicial de sílaba.

(9) ㅈ : 한글 자모의 아홉째 글자. 이름은 '지읒'으로, 'ㅅ'보다 소리가 더 세게 나므로 'ㅅ'에 한 획을 더 해 만든 글자이다.

Novena letra del alfabeto coreano. Su nombre es 'jieut'. Fue formada agregando una línea a la 'ㅅ' por sonar un poco más fuerte que ésta.

(10) ㅊ : 한글 자모의 열째 글자. 이름은 '치읓'으로 '지읒'보다 소리가 거세게 나므로 '지읒'에 한 획을 더해서 만든 글자이다.

Décima letra del hangul. Su nombre es '치읓' y tiene una pronunciación más fuerte que 'ㅈ'. Es una letra creada agregando una barra encima de 'ㅈ'.

(11) ㅋ : 한글 자모의 열한째 글자. 이름은 '키읔'으로 'ㄱ'보다 소리가 거세게 나므로 'ㄱ'에 한 획을 더 하여 만든 글자이다.

Undécima letra del hangul. Su nombre es '키읔' y tiene una pronunciación más fuerte que 'ㄱ'. Es una letra creada agregando una barra a 'ㄱ'.

(12) ㅌ : 한글 자모의 열두째 글자. 이름은 '티읕'으로, 'ㄷ'보다 소리가 거세게 나므로 'ㄷ'에 한 획을 더 하여 만든 글자이다.

Duodécima letra del hangul. Su nombre es '티읕' y tiene una pronunciación más fuerte que 'ㄷ'. Es una letra creada agregando una barra a 'ㄷ'.

(13) ㅍ : 한글 자모의 열셋째 글자. 이름은 '피읖'으로, 'ㅁ, ㅂ'보다 소리가 거세게 나므로 'ㅁ'에 획을 더 하여 만든 글자이다.

Décima tercera letra del hangul. Su nombre es '피읖' y tiene una pronunciación más fuerte que 'ㅁ' y 'ㅂ'. Es una letra creada agregando barras a 'ㅁ'.

(14) ㅎ : 한글 자모의 열넷째 글자. 이름은 '히읗'으로, 이 글자의 소리는 목청에서 나므로 목구멍을 본떠 만든 'ㅇ'의 경우와 같지만 'ㅇ'보다 더 세게 나므로 'ㅇ'에 획을 더하여 만든 글자이다.

Décima cuarta letra del hangul. Su nombre es '히읗' y para la pronunciación, el sonido sale desde las cuerdas vocales. Por ello, tiene una pronunciación es similar a 'ㅇ' pero un poco más fuerte. Es una letra agregando barras a 'ㅇ'.

(15) ㄲ : 한글 자모 'ㄱ'을 겹쳐 쓴 글자. 이름은 쌍기역으로, 'ㄱ'의 된소리이다.

Letra formada con dos 'ㄱ'. Su nombre es ssanggiyeok y es el sonido glotalizado de la consonante 'ㄱ' .

(16) ㄸ : 한글 자모 'ㄷ'을 겹쳐 쓴 글자. 이름은 쌍디귿으로, 'ㄷ'의 된소리이다.

Letra formada por dos consonantes del alfabeto coreano 'ㄷ' yuxtapuestos. Lleva el nombre de 'ssangdigeud' y es el sonido glotalizado de la consonante 'ㄷ'.

(17) ㅃ : 한글 자모 'ㅂ'을 겹쳐 쓴 글자. 이름은 쌍비읍으로, 'ㅂ'의 된소리이다.

Letra del alfabeto coreano que lleva dos consonantes 'ㅂ'. Su nombre es ssangbieup y es el sonido glotalizado de 'ㅂ'.

(18) ㅆ : 한글 자모 'ㅅ'을 겹쳐 쓴 글자. 이름은 쌍시옷으로, 'ㅅ'의 된소리이다.

Letra formada con dos 'ㅅ'. Su nombre es ssangsiot y es el sonido glotalizado de la consonante 'ㅅ'.

(19) ㅉ : 한글 자모 'ㅈ'을 겹쳐 쓴 글자. 이름은 쌍지읒으로, 'ㅈ'의 된소리이다.

Letra del hangul que consiste en dos 'ㅈ'. Su nombre es '쌍지읒' y es el sonido glotalizado de la consonante 'ㅈ'.

ㄱ	ㄴ	ㄷ	ㄹ	ㅁ	ㅂ	ㅅ	ㅇ	ㅈ	ㅊ	ㅋ	ㅌ	ㅍ	ㅎ
g,k	n	d,t	r,l	m	b,p	s	ng	j	ch	k	t	p	h

ㄲ	ㄸ	ㅃ	ㅆ	ㅉ
kk	tt	pp	ss	jj

ㄱ	ㄴ	ㄷ	ㄹ	ㅁ	ㅂ	ㅅ	ㅇ	ㅈ	ㅎ
ㅋ		ㅌ			ㅍ			ㅊ	
ㄲ		ㄸ			ㅃ	ㅆ		ㅉ	

3. 음절 : 모음, 모음과 자음, 자음과 모음, 자음과 모음과 자음이 어울려 한 덩어리로 내는 말소리의 단위.

sílaba

Unidad de sonido o sonidos articulados de la voz compuestos por vocales y consonantes en los siguientes formatos: vocal, vocal-consonante, consonante-vocal, y consonante-vocal-consonante.

1) 모음(vocal)

예 (ejemplo) : 아, 어, 오, 우·······

2) 자음(consonante) + 모음(vocal)

예 (ejemplo) : 가, 도, 루, 슈·······

3) 모음(vocal) + 자음(consonante)

예 (ejemplo) : 악, 얍, 임, 윤·······

4) 자음(consonante) + 모음(vocal) + 자음(consonante)

예 (ejemplo) : 각, 남, 당, 균·······

	ㄱ	ㄴ	ㄷ	ㄹ	ㅁ	ㅂ	ㅅ	ㅇ	ㅈ	ㅊ	ㅋ	ㅌ	ㅍ	ㅎ
ㅏ	가	나	다	라	마	바	사	아	자	차	카	타	파	하
ㅓ	거	너	더	러	머	버	서	어	저	처	커	터	퍼	허
ㅗ	고	노	도	로	모	보	소	오	조	초	코	토	포	호
ㅜ	구	누	두	루	무	부	수	우	주	추	쿠	투	푸	후
ㅡ	그	느	드	르	므	브	스	으	즈	츠	크	트	프	흐
ㅣ	기	니	디	리	미	비	시	이	지	치	키	티	피	히
ㅐ	개	내	대	래	매	배	새	애	재	채	캐	태	패	해
ㅔ	게	네	데	레	메	베	세	에	제	체	케	테	페	헤
ㅚ	괴	뇌	되	뢰	뫼	뵈	쇠	외	죄	최	쾨	퇴	푀	회
ㅟ	귀	뉘	뒤	뤼	뮈	뷔	쉬	위	쥐	취	퀴	튀	퓌	휘
ㅑ	갸	냐	댜	랴	먀	뱌	샤	야	쟈	챠	캬	탸	퍄	햐
ㅕ	겨	녀	뎌	려	며	벼	셔	여	져	쳐	켜	텨	펴	혀
ㅛ	교	뇨	됴	료	묘	뵤	쇼	요	죠	쵸	쿄	툐	표	효
ㅠ	규	뉴	듀	류	뮤	뷰	슈	유	쥬	츄	큐	튜	퓨	휴
ㅒ	걔	냬	댸	럐	먜	뱨	섀	얘	쟤	챼	컈	턔	퍠	햬
ㅖ	계	녜	뎨	례	몌	볘	셰	예	졔	쳬	켸	톄	폐	혜
ㅘ	과	놔	돠	롸	뫄	봐	솨	와	좌	촤	콰	톼	퐈	화
ㅝ	궈	눠	둬	뤄	뭐	붜	숴	워	줘	춰	쿼	퉈	풔	훠
ㅙ	괘	놰	돼	뢔	뫠	봬	쇄	왜	좨	쵀	쾌	퇘	퐤	홰
ㅞ	궤	눼	뒈	뤠	뭬	붸	쉐	웨	줴	췌	퀘	퉤	풰	훼
ㅢ	긔	늬	듸	릐	믜	븨	싀	의	즤	츼	킈	틔	픠	희

4. 품사 : 단어를 기능, 형태, 의미에 따라 나눈 갈래.

parte de la oración
Palabras divididas por sus funciones, formas y significados.

• **체언** : 문장에서 명사, 대명사, 수사와 같이 문장의 주어나 목적어 등의 기능을 하는 말.

componente nominal, sustantivo, nombre, pronombre, numeral
En una oración, elementos como nombre, pronombre o numeral que cumple la función de un sujeto o un complemento.

• **용언** : 문법에서, 동사나 형용사와 같이 문장에서 서술어의 기능을 하는 말.

componente predicativo
En gramática, palabra que cumple la función de un componente predicativo en la oración, como un verbo o un adjetivo.

1) **본용언** : 문장의 주체를 주되게 서술하면서 보조 용언의 도움을 받는 용언.

componente predicativo principal
Componente predicativo que es complementado por otro auxiliar, para cumplir su principal función de describir al agente de la oración.

2) **보조 용언** : 본용언과 연결되어 그 뜻을 보충해 주는 용언.

componente predicativo auxiliar
Componente predicativo que se emplea para complementar el sentido del componente predicativo principal.

• **수식언** : 문법에서, 관형어나 부사어와 같이 뒤에 오는 체언이나 용언을 꾸미거나 한정하는 말.

componente modificador
En gramática, palabra que modifica o limita al componente nominal o predicativo que sucede, como un componente determinante o adverbial.

1. **명사** : 사물의 이름을 나타내는 품사.

sustantivo, nombre
Parte de la oración que expresa el nombre del objeto.

2. **대명사** : 다른 명사를 대신하여 사람, 장소, 사물 등을 가리키는 낱말.

pronombre
Palabra que en reemplazo de otro sustantivo, se refiere a la persona, lugar, objeto, etc..

3. **수사** : 수량이나 순서를 나타내는 말.

pronombre numeral
Palabra que designa cantidad u orden.

4. **동사** : 사람이나 사물의 움직임을 나타내는 품사.

verbo
Parte de la oración que expresa los movimientos de personas u objetos.

5. **형용사** : 사람이나 사물의 성질이나 상태를 나타내는 품사.

adjetivo
Parte de la oración que muestra el carácter o el estado de alguien o algo.

• **활용** : 문법적 관계를 나타내기 위해 용언의 꼴을 조금 바꿈.

conjugación
Acción de cambiar ligeramente la forma del predicado para indicar las relaciones gramaticales.

1) **규칙 활용** : 문법에서, 동사나 형용사가 활용을 할 때 어간의 형태가 변하지 않고 일반적인 어미가 붙어 변화하는 것.

conjugación regular
En gramática, conjugación de un verbo o un adjetivo con una terminación general, sin que cambie su raíz.

2) **불규칙 활용** : 문법에서, 동사나 형용사가 활용을 할 때 어간의 형태가 변하거나 예외적인 어미가 붙어 변화하는 것.

conjugación irregular
En gramática, conjugación de un verbo o un adjetivo que provoca cambios en la raíz o resulta en la adición de una terminación excepcional.

활용(conjugación) 형태(forma)	어간(tema) + 어미(desinencia)	불규칙(irregularidad) 부분(parte)	불규칙 용언(componente predicativo irregular)
물어	묻- + -어	묻- → 물-	싣다, 붇다, 일컫다···
지어	짓- + -어	짓- → 지-	젓다, 붓다, 잇다···
누워	눕- + -어	눕- → 누우	줍다, 굽다, 깁다···
흘러	흐르- + -어	흐르- → 흘ㄹ	부르다, 타오르다, 누르다···
하얘	하얗- + -아	-얗어- → 얘	빨갛다, 까맣다, 뽀얗다···

1) **어간** : 동사나 형용사가 활용할 때에 변하지 않는 부분.

tema, raíz
Parte de un verbo o adjetivo que permanece invariable al conjugarse.

2) **어미** : 용언이나 '-이다'에서 활용할 때 형태가 달라지는 부분.

desinencia, terminación
Parte de un componente predicativo, o de la terminación '이다', cuya forma sufre cambios al conjugarse.

① **어말 어미** : 동사, 형용사, 서술격 조사가 활용될 때 맨 뒤에 오는 어미.

desinencia en última sílaba
Desinencia que viene al final de la forma conjugada de un verbo, adjetivo, posposición de caso atributivo, etc.

㉠ **종결 어미** : 한 문장을 끝맺는 기능을 하는 어말 어미.

desinencia de terminación
Desinencia en última sílaba de la palabra que tiene la función de terminar una oración.

㉡ **전성 어미** : 동사나 형용사의 어간에 붙어 동사나 형용사가 명사, 관형사, 부사와 같은 다른 품사의 기능을 가지도록 하는 어미.

desinencia transpositora, morfema transpositor
Desinencia que se agrega a la raíz del verbo o adjetivo para que éste pueda funcionar como otras partes de la oración como sustantivo, determinante, adverbio, etc.

㉢ **연결 어미** : 어간에 붙어 다음 말에 연결하는 기능을 하는 어미.

desinencia conectora, terminación conectora
Desinencia que, añadida a la raíz de una palabra, desempeña la función de conectarla con otra que viene detrás.

② **선어말 어미** : 어말 어미 앞에 놓여 높임이나 시제 등을 나타내는 어미.

desinencia en penúltima sílaba
Desinencia que indica denominación honorífica o tiempo al colocarse delante de la desinencia en última sílaba.

<table>
<tr><th colspan="3">어미 (desinencia)</th><th colspan="2">형태 (forma)</th></tr>
<tr><td rowspan="12">어말 어미
(desinencia en última sílaba)</td><td rowspan="5">종결 어미
(desinencia de terminación)</td><td>서술형
(forma narrativa)</td><td colspan="2">-다, -네, -ㅂ니다/습니다…</td></tr>
<tr><td>의문형
(forma conjugada interrogativa)</td><td colspan="2">-는가, -니, -ㄹ까…</td></tr>
<tr><td>감탄형
(forma exclamativa)</td><td colspan="2">-구나, -네…</td></tr>
<tr><td>명령형
(forma conjugada imperativa)</td><td colspan="2">-(으)세요, -어라/-아라/-여라</td></tr>
<tr><td>청유형
(forma conjugada de petición)</td><td colspan="2">-자, -ㅂ시다/-읍시다, -세…</td></tr>
<tr><td>연결 어미
(desinencia conectora)</td><td colspan="3">-고, -며/으며, -지만, -거나, -어서, -려고/-으려고, -면/-으면…</td></tr>
<tr><td rowspan="6">전성 어미
(desinencia transpositora)</td><td>명사형 어미
(terminación sustantiva)</td><td colspan="2">-ㅁ/-음, -기</td></tr>
<tr><td rowspan="4">관형사형 어미
(desinencia)</td><td>과거
(pasado)</td><td>-ㄴ/-은</td></tr>
<tr><td>현재
(presente)</td><td>-는</td></tr>
<tr><td>미래
(futuro)</td><td>-ㄹ/-을</td></tr>
<tr><td>중단/반복
(cese/repetición)</td><td>-던</td></tr>
<tr><td>부사형 어미
(desinencia adverbial)</td><td colspan="2">-게, -도록, -듯이, -이</td></tr>
<tr><td rowspan="5">선어말 어미
()</td><td colspan="2">주체(agente) 높임(trato cortés)</td><td colspan="2">-시-/-으시-</td></tr>
<tr><td colspan="2" rowspan="4">시제
(tiempo)</td><td>과거
(pasado)</td><td>-았-/-었-/-였-</td></tr>
<tr><td>현재
(presente)</td><td>-ㄴ-/-는-</td></tr>
<tr><td>미래
(futuro)</td><td>-ㄹ-/-을-</td></tr>
<tr><td>회상
(reflexión)</td><td>-더-</td></tr>
</table>

6. 관형사 : 체언 앞에 쓰여 그 체언의 내용을 꾸며 주는 기능을 하는 말.

determinante
Elemento gramatical que viene delante de un sintagma nominal y lo modifica.

7. 부사 : 주로 동사나 형용사 앞에 쓰여 그 뜻을 분명하게 하는 말.

adverbio
Parte de la oración que viene generalmente delante del verbo o adjetivo y modifica o aclara su significación.

8. 조사 : 명사, 대명사, 수사, 부사, 어미 등에 붙어 그 말과 다른 말과의 문법적 관계를 표시하거나 그 말의 뜻을 도와주는 품사.

posposición, partícula pospositiva
Parte de la oración que se añade al sustantivo, pronombre, numeral, adverbio, desinencia, etc. a fin de expresar las relaciones gramaticales con otra palabra o auxiliar el significado de esa palabra.

1) 격 조사 : 명사나 명사구 뒤에 붙어 그 말이 서술어에 대하여 가지는 문법적 관계를 나타내는 조사.

posposición de caso
Posposición que se coloca detrás de un nombre o una frase nominal para denotar su relación gramatical con el predicado.

① 주격 조사 : 문장에서 서술어에 대한 주어의 자격을 표시하는 조사.

posposición de caso nominativo
En una oración, posposición que representa la calidad del sujeto en relación con el predicado.

② 목적격 조사 : 문장에서 서술어에 대한 목적어의 자격을 표시하는 조사.

posposición de caso acusativo
En una oración, posposición que indica la calidad del objeto en el predicado.

③ 서술격 조사 : 문장 안에서 체언이나 체언 구실을 하는 말 뒤에 붙어 이들을 서술어로 만드는 격 조사.

posposición de caso atributivo
Posposición que se añade al final de un componente nominal, o una palabra que cumple tal función, para otorgarle la calidad del predicado que expresa el movimiento, el estado o el carácter del sujeto.

④ **보격 조사** : 문장 안에서, 체언이 서술어의 보어임을 표시하는 격 조사.

posposición complementaria
Posposición que señala que un determinado sintagma nominal es un complemento del predicado dentro de una oración.

⑤ **관형격 조사** : 문장 안에서 앞에 오는 체언이 뒤에 오는 체언을 꾸며 주는 구실을 하게 하는 조사.

posposición determinante
En una oración, posposición que hace que un componente nominal modifique a otro que viene detrás suyo.

⑥ **부사격 조사** : 문장 안에서, 체언이 서술어에 대하여 장소, 도구, 자격, 원인, 시간 등과 같은 부사로서의 자격을 가지게 하는 조사.

posposición de caso adverbial
Posposición que otorga a un componente nominal la función de adverbio predicativo de lugar, instrumento, aptitud, causa, tiempo, etc.

⑦ **호격 조사** : 문장에서 체언이 독립적으로 쓰여 부르는 말의 역할을 하게 하는 조사.

posposición de caso vocativo
Posposición que hace que un componente nominal sea usado de forma independiente y cumpla función apelativa.

2) **보조사** : 체언, 부사, 활용 어미 등에 붙어서 특별한 의미를 더해 주는 조사.

posposición auxiliar
Posposición que se agrega a componentes nominales, adverbios, desinencias pospositivas, etc. para darles un significado especial.

3) **접속 조사** : 두 단어를 이어 주는 기능을 하는 조사.

posposición de conjunción
Posposición que tiene como función unir dos palabras.

격 조사 (posposición de caso)	주격 조사 (posposición de caso nominativo)	이/가, 께서, 에서
	목적격 조사 (posposición de caso acusativo)	을/를
	보격 조사 (posposición complementaria)	이/가
	부사격 조사 (posposición de caso adverbial)	에, 에서, 에게, 한테, 께, (으)로, (으)로서, (으)로써, 와/과, 하고, (이)랑, 처럼, 만큼, 같이, 보다
	관형격 조사 (posposición determinante)	의
	서술격 조사 (posposición de caso atributivo)	이다
	호격 조사 (posposición de caso vocativo)	아, 야, 이시여
보조사 (posposición auxiliar)	은/는, 만, 도, 까지, 부터, 마저, 조차, 밖에···	
접속 조사 (posposición de conjunción)	와/과, 하고, (이)랑, (이)며	

9. **감탄사** : 느낌이나 부름, 응답 등을 나타내는 말의 품사.

interjección
Parte de la oración que expresa la sensación, el llamamiento o la contestación.

5. 문장 성분 : 주어, 서술어, 목적어 등과 같이 한 문장을 구성하는 요소.

componente de la oración
Elemento que compone la oración, como el sujeto, el predicado y el objeto.

1. **주어** : 문장의 주요 성분의 하나로, 주로 문장의 앞에 나와서 동작이나 상태의 주체가 되는 말.

sujeto
Parte fundamental de la oración que, por lo general, aparece al principio de una oración para ejercer como agente de una acción o un estado.

1) 체언 + 주격 조사 : componente nominal + posposición de caso nominativo

2) 체언 + 보조사 : componente nominal + posposición auxiliar

2. **목적어** : 타동사가 쓰인 문장에서 동작의 대상이 되는 말.

complemento
En una oración que usa un verbo transitivo, elemento que sirve como objeto de la acción representada por dicho verbo.

1) 체언 + 목적격 조사 : componente nominal + posposición de caso acusativo

2) 체언 + 보조사 : componente nominal + posposición auxiliar

3. **서술어** : 문장에서 주어의 성질, 상태, 움직임 등을 나타내는 말.

predicado, palabra predicativa
Palabra o grupo de palabras que muestran el carácter, estado, movimiento, etc., del sujeto en una oración.

1) 용언 종결형 : componente predicativo forma conjugada de terminación

2) 체언 + 서술격 조사 '이다' : componente nominal + posposición de caso atributivo '이다'

4. **보어** : 주어와 서술어만으로는 뜻이 완전하지 못할 때 보충하여 문장의 뜻을 완전하게 하는 문장 성분.

complemento
Componente de la oración que complementa el sentido, cuando éste resulta incompleto con solo el sujeto y el predicado.

1) 체언 + 보격 조사 : componente nominal + posposición complementaria

2) 체언 + 보조사 : componente nominal + posposición auxiliar

5. **관형어** : 체언 앞에서 그 내용을 꾸며 주는 문장 성분.

palabra determinante
Componente de la oración que viene delante de un sintagma nominal y lo modifica.

1) 관형사 : determinante

2) 체언 + 관형격 조사 '의' : componente nominal + posposición determinante '의'

3) 용언 어간 + 관형사형 어미 '-은/ㄴ, -는, -을/ㄹ, -던'

: componente predicativo tema + desinencia '-은/ㄴ, -는, -을/ㄹ, -던'

6. **부사어** : 문장 안에서, 용언의 뜻을 분명하게 하는 문장 성분.

componente adverbial
Componente de la oración que aclara el sentido del predicado.

1) 부사 : adverbio

2) 부사 + 보조사 : adverbio + posposición auxiliar

3) 용언 어간 + 부사형 어미 '-게' : componente predicativo tema + desinencia adverbial '-게'

7. **독립어** : 문장의 다른 성분과 밀접한 관계없이 독립적으로 쓰는 말.

palabra independiente
Clase de palabras que se usan por sí solas, sin la necesidad de relacionarse estrechamente con otros componentes de la oración.

1) 감탄사 : interjección

2) 체언 + 호격 조사 : componente nominal + posposición de caso vocativo

6. 어순 : 한 문장 안에서 주어, 목적어, 서술어 등의 문장 성분이 나오는 순서.

orden de palabras

Orden en que se colocan los componentes de una oración tales como el sujeto, objeto, predicado, entre otros.

1) 주어 + 서술어(자동사)

sujeto + predicado(verbo intransitivo)

예 (ejemplo) : 바람이 불어요.

2) 주어 + 서술어(형용사)

sujeto + predicado(adjetivo)

예 (ejemplo) : 날씨가 좋아요.

3) 주어 + 서술어(체언+서술격 조사 '이다')

sujeto + predicado(componente nominal+posposición de caso atributivo '이다')

예 (ejemplo) : 이것이 책상이다.

4) 주어 + 목적어 + 서술어(타동사)

sujeto + complemento + predicado(verbo transitivo)

예 (ejemplo) : 친구가 밥을 먹어요.

5) 주어 + 목적어 + 필수 부사어 + 서술어(타동사)

sujeto + complemento + esencial componente adverbial + predicado(verbo transitivo)

예 (ejemplo) : 어머니께서 용돈을 나에게 주셨다.

1) 체언(명사/대명사/수사)이/가 + 형용사 어간어미

<주어> <서술어>

2) 체언이/가 + 체언을/를 + 타동사 어간어미

<주어> <목적어> <서술어>

7. 띄어쓰기 : 글을 쓸 때, 각 낱말마다 띄어서 쓰는 일. 또는 그것에 관한 규칙.

espaciado entre palabras
Acción de separar o poner espacio entre palabras en una composición. O la regla que impone tal espaciado.

1) 체언조사 (띄어쓰기) 용언 어간어미

componente nominalposposición (espaciado entre palabras)
componente predicativo temadesinencia

예 (ejemplo) : 밥을 (espaciado entre palabras) 먹어요

2) 관형사 (띄어쓰기) 명사

determinante (espaciado entre palabras) sustantivo

예 (ejemplo) : 새 (espaciado entre palabras) 옷

3) 용언 어간관형사형 어미 '-은/-ㄴ, -는, -을/-ㄹ, -던' (띄어쓰기) 명사

componente predicativo temadesinencia '-은/-ㄴ, -는, -을/-ㄹ, -던
(espaciado entre palabras) sustantivo

예 (ejemplo) : 기다리는 (espaciado entre palabras) 사람 /
좋은 (espaciado entre palabras) 사람

4) 형용사 어간부사형 어미 '-게' (띄어쓰기) 용언 어간어미

adjetivo temadesinencia adverbial '-게' (espaciado entre palabras)
componente predicativo temadesinencia

예 (ejemplo) : 행복하게 (espaciado entre palabras) 살자

5) 명사인 (띄어쓰기) 명사

sustantivo인 (espaciado entre palabras) sustantivo

예 (ejemplo) : 대학생인 (espaciado entre palabras) 친구

8. 문장 부호 : 문장의 뜻을 정확히 전달하고, 문장을 읽고 이해하기 쉽도록 쓰는 부호.

signo de puntuación
Signo que se usa para transmitir exactamente el significado de la oración, además de facilitar su lectura y entendimiento.

1) 마침표 (.) : 문장을 끝맺거나 연월일을 표시하거나 특정한 의미가 있는 날을 표시하거나 장, 절, 항 등을 표시하는 문자나 숫자 다음에 쓰는 문장 부호.

punto
Signo de puntuación que se coloca detrás de letra o número que marca el final de una oración; año, mes y día; alguna especial; o capítulo, párrafo y apartado.

2) 물음표 (?) : 의심이나 의문을 나타내거나 적절한 말을 쓰기 어렵거나 모르는 내용임을 나타낼 때 쓰는 문장 부호.

signo de interrogación, signo de pregunta
Signo de puntuación '?' que se usa para manifestar duda o sospecha, o para marcar algo desconocido o difícil de expresar con palabras apropiadas.

3) 느낌표 (!) : 강한 느낌을 표현할 때 문장 마지막에 쓰는 문장 부호 '!'의 이름.

signo de exclamación
Nombre del signo de puntuación '!' que se coloca al final de una oración para denotar sentimientos de admiración o exclamatorios.

4) 쉼표 (,) : 어구를 나열하거나 문장의 연결 관계를 나타내는 문장 부호.

coma
Signo de puntuación que sirve para enumerar palabras o frases, e indicar la relación entre oraciones.

5) 줄임표 (……) : 할 말을 줄였을 때나 말이 없음을 나타낼 때에 쓰는 문장 부호.

puntos suspensivos, elipsis
Signo de puntuación que se usa para reducir el contenido o cuando no se tiene nada más que añadir.

< 참고 문헌 (referencia) >

고려대학교 한국어대사전, 고려대학교 민족문화연구원, 2009
우리말샘, 국립국어원, 2016
표준국어대사전, 국립국어원, 1999
한국어교육 문법 자료편, 한글파크, 2016
한국어 교육학 사전, 하우, 2014
한국어기초사전, 국립국어원, 2016
한국어 문법 총론 Ⅰ, 집문당, 2015

HANPUK

한국어 동사 290 형용사 137 español(traducción)

발　행 | 2024년 6월 11일
저　자 | 주식회사 한글2119연구소
펴낸이 | 한건희
펴낸곳 | 주식회사 부크크
출판사등록 | 2014.07.15.(제2014-16호)
주　소 | 서울특별시 금천구 가산디지털1로 119 SK트윈타워 A동 305호
전　화 | 1670-8316
이메일 | info@bookk.co.kr

ISBN | 979-11-410-8878-1

www.bookk.co.kr